Rudolf Sachs

Deutsche Handelskorrespondenz Neu

Der Schriftwechsel in Export und Import

HUEBER

Quellenverzeichnis

Seite   66, 141, 142: Bayerische Hypo- und Vereinsbank AG, München
Seite   74:   Zeichnungen: Reinhard Blumenschein, München
Seite   122–129:   Heidelberger Druckmaschinen AG, Heidelberg
Seite   144:   Lufthansa Cargo AG, Frankfurt
Seite   145:   Verlagsgruppe Jehle Rehm, München

Zeichnungen von Ernst Hürlimann auf den Seiten:
34, 35, 46, 73, 82, 85, 96, 106, 120.

Dieses Werk folgt der seit dem 1. August 1998 gültigen Rechtschreib-
reform. Ausnahmen bilden Texte, bei denen künstlerische, philologische
oder lizenzrechtliche Gründe einer Änderung entgegenstehen.

€   3.   2.   1. | Die letzten Ziffern
2005   04   03   02   01 | bezeichnen Zahl und Jahr des Druckes.
Alle Drucke dieser Auflage können, da unverändert,
nebeneinander benutzt werden.
1. Auflage
© 2001 Max Hueber Verlag, D-85737 Ismaning
Verlagsredaktion: Andreas Tomaszewski
Zeichnungen: Ernst Hürlimann
Umschlaggestaltung: Christiane Gerstung, München
Layout und Satz: Christiane Gerstung, München
Herstellung: Astrid Hansen
Druck und Bindung: Ludwig Auer GmbH, Donauwörth
Printed in Germany
ISBN 3-19-001662-3

Vorwort

Seit dem Erscheinen der ersten Auflage im Jahre 1969 muss die „Deutsche Handelskorrespondenz" immer wieder an die aktuelle Entwicklung angepasst werden. Die vorliegende Neubearbeitung 2000 berücksichtigt vor allem die zunehmende Bedeutung von Telefax, E-Mail und Internet, die Einführung des Euro und die inzwischen eingetretenen rechtlichen Änderungen, darunter auch die Umsetzung des UN-Kaufrechts in deutsches Recht.

Das Buch befasst sich mit der Verwendung der deutschen Sprache als Korrespondenzsprache im internationalen Handelsverkehr und gibt dabei dem Benutzer auch einen Einblick in die Abwicklung von Außenhandelsgeschäften. Es wendet sich vor allem an Ausländer, die ihre Deutschkenntnisse in Richtung Wirtschaftssprache erweitern wollen. Daneben dürfte es aber auch für deutsche Muttersprachler, die eine Tätigkeit im Bereich des Außenhandels ausüben oder anstreben, von Interesse sein.

Den **Korrespondenzkapiteln** sind die **Abschnitte A, B** und **C** vorgeschaltet.

Abschnitt A gibt einen Überblick über die neuesten Entwicklungen in der Handelskorrespondenz, **Abschnitt B** behandelt vor allem das UN-Kaufrecht, wobei die wichtigsten Unterschiede zum Recht des deutschen BGB/HGB aufgezeigt werden, und **Abschnitt C** beschreibt die Form der kaufmännischen Mitteilungen.

In 16 der insgesamt 17 Korrespondenzkapitel werden die im Außenhandel am häufigsten vorkommenden Briefarten vorgestellt. Diese Kapitel gliedern sich in vier Teile:

1. **Einleitung,**
2. **Musterbriefe** (darunter Muster auf Original-Vordrucken, Fax-Mitteilungen und E-Mails),
3. **Briefbausteine** und
4. **Übungen** zur Erstellung deutscher Briefe nach Angaben (darunter auch Stichwortangaben). Die Abwicklung von Außenhandelsgeschäften wird anhand von sechs Briefreihen dargestellt, von denen drei den normalen und drei den gestörten Verlauf eines Geschäfts behandeln. Die Mitteilungen des deutschen Geschäftspartners dienen dabei als Muster, die des ausländischen Partners sind nach Angaben zu entwerfen.

Kapitel 17 zeigt einen interaktiven Einkaufsvorgang im Internet.

Den Abschluss des Buches bilden ein **Glossar,** das Erklärungen zu den in den Briefen und Texten verwendeten Fachbegriffen sowie Muster von Formularen und Dokumenten enthält, sowie ein alphabetisches Wörterverzeichnis (deutsch – englisch – französisch – italienisch – spanisch), das den im Buch enthaltenen fachbezogenen Wortschatz erfasst.

Der Verfasser bedankt sich bei allen Firmen[1], die ihm Material für das Buch zur Verfügung gestellt haben, sowie bei den folgenden Kolleginnen und Kollegen, die ihm bei der Erstellung des fünfsprachigen Wörterverzeichnisses geholfen haben:

Rosa Madelaine Brüseke (Französisch)
Ursula Guidi und Dott. Gualtiero Guidi (Italienisch)
Celestino Sánchez López (Spanisch)

(Der englische Teil wurde vom Verfasser selbst bearbeitet.)

Der Dank des Verfassers gilt nicht zuletzt dem Lektor des Max Hueber Verlags, Andreas Tomaszewski, für die redaktionelle Betreuung dieser Neubearbeitung.

Rudolf Sachs

---

[1] Die Bezeichnungen „Alphafax" und „Cardiotrainer", die in diesem Buch verwendet werden, sind frei erfunden. Eine Übereinstimmung mit einem existierenden Warenzeichen wäre rein zufällig.

Inhaltsverzeichnis

A. Der Außenhandelskaufvertrag: Vertragsrecht und Vertragsgestaltung

UN-Kaufrecht

Das Übereinkommen und sein Anwendungsbereich. *Durch das Übereinkommen der Vereinten Nationen vom 11. April 1980 über Verträge über den internationalen Warenkauf* (United Nations Convention on Contracts on the International Sale of Goods), das von der UN-Kommission für internationales Handelsrecht – United Nations Commission on International Trade Law (UNCITRAL) – vorbereitet worden war, wurde ein einheitliches internationales Kaufrecht geschaffen, das als „UN-Kaufrecht" oder „UNCITRAL-Kaufrecht" bezeichnet wird. Es ist inzwischen von ca. 60 Staaten, darunter auch Deutschland, übernommen worden, wobei jedoch zahlreiche Vertragsstaaten Vorbehalte hinsichtlich der Anwendung einzelner Bestimmungen gemacht haben. Der Deutsche Bundestag verabschiedete am 5. Juli 1989 ein Gesetz, durch das das UN-Kaufrecht in deutsches Recht umgesetzt wurde. Dieses Gesetz trat am 1. Januar 1991 in Kraft.

Die Regelungen des UN-Kaufrechts, die stark vom angelsächsischen Recht beeinflusst sind, unterscheiden sich zum Teil erheblich von denen des deutschen BGB/HGB.

UNÜ Art. 1 — Gegenstand des UN-Kaufrechts sind Kaufverträge über Waren, soweit die Parteien ihre Niederlassung in Vertragsstaaten haben oder die Regeln des internationalen Privatrechts zur Anwendung des Rechts eines Vertragsstaates

UNÜ Art. 3 — führen. Werklieferverträge, d. h. Verträge über die Lieferung einer vom Verkäufer herzustellenden Ware, sind den Kaufverträgen gleichgestellt. Die Staats-

UNÜ Art. 1 — angehörigkeit der Parteien ist ohne Bedeutung; es spielt auch keine Rolle, ob sie Kaufleute oder Nichtkaufleute sind.

UNÜ Art. 2 — Bestimmte Geschäfte fallen nicht unter das UN-Kaufrecht. Dazu gehören u. a. der Kauf von Waren für den persönlichen Gebrauch, Wertpapier- und Devisengeschäfte sowie der Kauf von Schiffen, Flugzeugen und elektrischer Energie. Daneben ist das UN-Kaufrecht auch nicht auf Geschäfte anwendbar, deren Hauptzweck die Erbringung von Dienstleistungen ist.

UNÜ Art. 6 — Sind die Anwendungsvoraussetzungen gegeben, kommt das UN-Kaufrecht automatisch zur Anwendung. Es ist den Parteien jedoch freigestellt, das UN-Kaufrecht abzubedingen und ihrem Vertrag stattdessen ein nationales Recht, z. B. das Recht des deutschen BGB/HGB, zugrunde zu legen. Außerdem haben die Parteien die Möglichkeit, das UN-Kaufrecht zwar grundsätzlich anzuwenden, aber gleichzeitig von diesem abweichende Vereinbarungen zu treffen. So können sie z. B. die Anwendung der *Incoterms* vereinbaren, die dann die

UNÜ = UN-Übereinkommen
BGB = Bürgerliches Gesetzbuch
HGB = Handelsgesetzbuch

entsprechenden Regelungen des UN-Kaufrechts ersetzen. Andererseits ist es aber auch möglich, das UN-Kaufrecht Verträgen zugrunde zu legen, die außerhalb seines Anwendungsbereichs liegen.

UNÜ Art. 4   Bestimmte Rechtsfragen im Zusammenhang mit Kaufverträgen werden durch das UN-Kaufrecht nicht geregelt (z. B. Gültigkeit des Vertrages oder einzelner Vertragsbestimmungen, Eigentumsübergang). Für die Klärung dieser Fragen ist das nach den Regeln des internationalen Privatrechts anzuwendende Recht maßgebend.

Angebot und Angebotsannahme. Ein Vertrag kommt dadurch zustande, dass eine
UNÜ Art. 11   Seite ein Angebot (Antrag) macht und die andere Seite das Angebot annimmt. Nach UN-Kaufrecht braucht der Kaufvertrag nicht schriftlich geschlossen zu werden. Eine Reihe von Vertragsstaaten hat von der Möglichkeit Gebrauch gemacht, die Anwendung dieser Bestimmung auszuschließen.

UNÜ Art. 14   Ein an eine oder mehrere Personen gerichteter Vorschlag zum Abschluss eines Vertrages stellt ein Angebot dar, wenn er inhaltlich ausreichend bestimmt ist, d. h. die erforderlichen Angaben über die Art der Ware, Menge, Preis und Verkaufsbedingungen enthält, und der Anbietende zu erkennen gibt, dass er bereit ist, bei Annahme seines Vorschlags eine vertragliche Bindung einzugehen. Ein Vorschlag, der nicht an eine oder mehrere bestimmte Personen gerichtet ist, gilt nur als Aufforderung, ein Angebot abzugeben, soweit nicht die Person, die den Vorschlag macht, ausdrücklich etwas anderes bestimmt.

UNÜ Art. 15   Das Angebot wird wirksam, sobald es dem Empfänger zugegangen ist. Will es der Anbietende zurücknehmen, muss die Rücknahmeerklärung dem Empfänger spätestens gleichzeitig mit dem Angebot zugehen.

UNÜ Art. 16   Nach UN-Kaufrecht kann ein bereits dem Empfänger vorliegendes Angebot so lange widerrufen werden, bis es von diesem angenommen worden ist, es sei denn, der Anbietende setzt eine Frist für die Annahme (*befristetes Angebot*) oder bringt auf andere Weise zum Ausdruck, dass das Angebot unwiderruflich
BGB § 145   ist. Nach dem deutschen BGB ist ein Angebot stets unwiderruflich, soweit es nicht ausdrücklich als widerruflich bezeichnet wird.

UNÜ Art. 18   Die Annahme eines Angebots erfolgt durch eine entsprechende Erklärung oder ein sonstiges Verhalten des Empfängers, das eine Zustimmung zum Angebot ausdrückt. Schweigen stellt keine Annahme dar. Die Annahme wird wirksam, sobald die Äußerung der Zustimmung dem Anbietenden zugeht, vorausgesetzt, dies geschieht innerhalb der von ihm gesetzten Frist oder, wenn keine
UNÜ Art. 22   Frist gesetzt wurde, innerhalb einer angemessenen Frist. Für die Rücknahme der Annahme gilt, was oben über die Rücknahme eines Angebots gesagt wurde.

UNÜ Art. 19   Eine Annahmeerklärung, die inhaltlich vom Angebot abweicht, d. h. Ergänzungen, Einschränkungen oder sonstige Änderungen enthält, gilt als Ablehnung und gleichzeitig als Gegenangebot. Nach UN-Kaufrecht stehen unwesentliche Abweichungen dem Vertragsabschluss jedoch nicht im Wege, es sei denn, dass sie vom Anbietenden unverzüglich beanstandet werden. Das BGB unterscheidet nicht zwischen wesentlichen und unwesentlichen Abweichungen. Die An-

BGB § 150 nahme eines Angebots unter Erweiterungen, Einschränkungen oder sonstigen Änderungen gilt in jedem Fall als Ablehnung, verbunden mit einem neuen Angebot.

Pflichten des Verkäufers und Rechte des Käufers bei Vertragsverletzung durch den Verkäufer. Der Verkäufer ist verpflichtet, die vom Käufer bestellte Ware in der vereinbarten Qualität und Menge zum vereinbarten Zeitpunkt oder inner-

UNÜ Art. 45 halb der vereinbarten Zeit zu liefern. Wenn der Verkäufer seine vertraglichen Pflichten nicht erfüllt, kann der Käufer von bestimmten rechtlichen Möglich-keiten Gebrauch machen, die im UN-Kaufrecht als „Rechtsbehelfe" (*remedies*) bezeichnet werden. Das UN-Kaufrecht sieht auch einen Anspruch auf Schaden-ersatz vor, den der Käufer – im Gegensatz zu den Bestimmungen des deut-schen BGB – stets zusätzlich zu allen anderen Rechtsbehelfen geltend machen

UNÜ Art. 79 kann. Schadenersatz kann nur dann nicht verlangt werden, wenn der Verkäufer beweist, dass das Pflichtversäumnis auf Umstände zurückzuführen ist, die außerhalb seines Einflussbereichs liegen und nicht vorauszusehen oder zu ver-

BGB § 286 meiden waren. Nach BGB kann der Käufer Schadenersatz anstelle der Lieferung verlangen, wenn er an der verspäteten Lieferung nicht mehr interessiert ist,

BGB § 463 oder anstelle von Wandlung oder Minderung, wenn der gelieferten Ware eine zugesagte Eigenschaft fehlt oder der Verkäufer einen Mangel arglistig ver-schwiegen hat.

BGB § 284 Zur Ausübung der im UN-Kaufrecht vorgesehenen Rechtsbehelfe bedarf es keiner vorherigen Mahnung, während nach dem deutschen BGB der Verkäufer erst nach erfolgloser Mahnung in Verzug kommt. Eine Mahnung ist nach BGB nur dann nicht erforderlich, wenn der Verkäufer eine kalendermäßig bestimmte Lieferzeit nicht einhält oder erklärt, dass er nicht liefern wird.

UNÜ
Art. 38, 39 Nach UN-Kaufrecht – wie auch nach deutschem Handelsrecht – hat der Käu-fer nach Eingang der Lieferung eine Prüfungs- und Rügepflicht, d. h. er muss die

HGB § 377 gelieferte Ware so prompt wie möglich prüfen und, wenn er dabei Mängel fest-stellt, diese dem Verkäufer innerhalb einer angemessenen Frist anzeigen. Aber

UNÜ Art. 44 auch wenn der Käufer die Anzeige unterlässt, verliert er nach UN-Kaufrecht seine Ansprüche nicht (außer für entgangenen Gewinn), vorausgesetzt, er hat eine plausible Erklärung für die Unterlassung.

UNÜ Art. 39 Vorbehaltlich anderer Absprachen kann der Käufer nach UN-Kaufrecht bis spätestens zwei Jahre nach Übergabe der Ware Mängel geltend machen. Nach

BGB § 477 BGB verjähren Gewährleistungsansprüche (außer bei arglistig verschwiege-nen Mängeln) bereits nach sechs Monaten, wobei diese Frist jedoch vertraglich verlängert werden kann.

UNÜ Art. 46 Nach UN-Kaufrecht kann der Käufer bei einem Vertragsbruch des Verkäufers weiterhin auf der Erfüllung des Vertrages bestehen, soweit er keinen Rechts-behelf ausgeübt hat, der dies ausschließt. Wenn der Käufer noch an einer Liefe-

UNÜ Art. 47 rung interessiert ist, setzt er dem Verkäufer eine angemessene Nachfrist, wobei er während dieser Frist keinen Rechtsbehelf wegen Vertragsverletzung ausüben darf, es sei denn, der Verkäufer erklärt, dass es ihm nicht möglich

UNÜ Art. 46   ist, die Frist einzuhalten. Bei Mängeln an der gelieferten Ware kann der Käufer Ersatzlieferung oder Nachbesserung (d. h. Reparatur) verlangen.

UNÜ Art. 49   Für den Fall, dass eine wesentliche Vertragsverletzung vorliegt oder der Verkäufer nicht innerhalb einer vom Käufer gesetzten Nachfrist liefert bzw. erklärt, dass er nicht liefern wird, sieht das UN-Kaufrecht den Rechtsbehelf der Vertragsaufhebung vor.

UNÜ Art. 50   Bei einer mangelhaften Lieferung hat der Käufer auch die Möglichkeit, statt Ersatzlieferung, Nachbesserung oder Vertragsaufhebung (*Wandlung*) die Reduzierung des Kaufpreises (*Minderung*) zu verlangen.

UNÜ Art. 48   Das UN-Kaufrecht erlaubt dem Verkäufer, unter bestimmten Umständen einen Mangel in der Erfüllung seiner Pflichten auch nach dem Liefertermin auf eigene Kosten zu beheben. Der Käufer behält jedoch das Recht, Schadenersatz zu verlangen. Dieses Recht bleibt auch bei einer Vertragsaufhebung oder einer Reduzierung des Kaufpreises bestehen.

Pflichten des Käufers und Rechte des Verkäufers bei Vertragsverletzung durch den Käufer.

Der Käufer ist verpflichtet, den Kaufpreis zu zahlen und die Ware abzu-

UNÜ Art. 61, 74, 62, 63, 64   nehmen. Was im vorstehenden Abschnitt über Rechtsbehelfe, Schadenersatz, Erfüllungsverlangen, die Gewährung einer Nachfrist und die Aufhebung des Vertrages gesagt wurde, gilt sinngemäß auch für Vertragsverletzungen des Käu-

UNÜ Art. 78   fers. Außerdem hat der Verkäufer im Falle, dass der Käufer nicht zahlt, neben dem Recht auf Schadenersatz auch Anspruch auf die Zahlung von Zinsen (*Verzugszinsen*).

BGB § 284 (angefügter Abs. 3)   Durch das „Gesetz zur Beschleunigung fälliger Zahlungen", das am 1. Mai 2000 in Kraft trat, wurden die Bestimmungen des BGB über den Schuldnerverzug dahingehend geändert, dass bei Geldforderungen der Schuldner 30 Tage nach Fälligkeit und Zugang einer Rechnung automatisch, d. h. ohne vorherige Mahnung, in Verzug kommt. Damit hat sich das deutsche BGB beim Zahlungsverzug dem UN-Kaufrecht angenähert, das bei Vertragsverletzungen durch eine Partei der anderen erlaubt, unverzüglich, also ohne zuerst mahnen und eine Nachfrist setzen zu müssen, Rechtsbehelfe geltend zu machen.

Allgemeine Geschäftsbedingungen

Allgemeine Geschäftsbedingungen (AGB) sind vorformulierte Vertragsbedingungen, die eine Partei der anderen vorschreibt und die nicht von den Vertragsparteien im Einzelnen ausgehandelt werden. Sie gelten nur, wenn sie Vertragsbestandteil geworden sind. Dazu ist es nach deutschem Recht ausreichend, wenn ein Vertragspartner den anderen ausdrücklich auf die AGB hinweist und dieser nicht widerspricht. Da das UN-Kaufrecht keine besonderen Regelungen für AGB vorsieht, ist davon auszugehen, dass diese nur dann Teil des Vertrages werden, wenn ihnen der Vertragspartner ausdrücklich zustimmt. Schweigen kann nicht als Zustimmung gedeutet werden.

Der Vertragspartner muss die Möglichkeit haben, sich mit dem Inhalt der AGB vertraut zu machen. Bei einem ausländischen Partner ist dies nur dann der

Fall, wenn ihm der Text der AGB in seiner Muttersprache oder einer anderen ihm geläufigen Sprache vorgelegt wird.

Erfüllungsort und Gerichtsstand

Der Erfüllungsort ist der Ort, an dem die vertraglich geschuldete Leistung zu erbringen ist. Nach UN-Kaufrecht ist, soweit nicht anders vereinbart, die Niederlassung des Verkäufers Erfüllungsort sowohl für die Lieferung als auch für die Zahlung, während nach dem deutschen BGB der Erfüllungsort für die Zahlung die Niederlassung des Käufers ist.

Als Gerichtsstand bezeichnet man den Ort, an dem bei einem Rechtsstreit Klage zu erheben ist. Der allgemeine Gerichtsstand ist die Niederlassung des Beklagten. Daneben gibt es besondere Gerichtsstände, zu denen auch der Gerichtsstand des Erfüllungsortes gehört. Wenn z. B. die Niederlassung des Verkäufers, die nach UN-Kaufrecht Erfüllungsort sowohl für die Lieferung als auch für die Zahlung ist, gleichzeitig als Gerichtsstand vereinbart wird, sind die Gerichte an diesem Ort für alle Klagen zuständig, die sich eventuell aus dem Vertrag ergeben.

Die Durchführung einer Klage im eigenen Land ist in der Regel einfacher und kostengünstiger als ein Gerichtsverfahren im Ausland. Andererseits kann es Schwierigkeiten bei der Vollstreckung eines inländischen Urteils im Ausland geben. Die Vereinbarung eines inländischen Gerichtsstands ist daher nur sinnvoll, wenn die Urteile der inländischen Gerichte im Ausland anerkannt werden bzw. der ausländische Geschäftspartner Vermögenswerte im Inland hat, in die gegebenenfalls vollstreckt werden kann.

Schiedsgericht

Es empfiehlt sich, bei Auslandsgeschäften die Zuständigkeit eines Schiedsgerichts zu vereinbaren. Ein Schiedsverfahren kann in kürzerer Zeit und mit geringeren Kosten abgewickelt werden als ein Gerichtsverfahren.

Bei einem Schiedsverfahren unterwerfen sich die Parteien durch freie Vereinbarung der Entscheidung (*Schiedsspruch*) eines oder mehrerer Schiedsrichter. Es ist zweckmäßig, eine solche Vereinbarung bereits bei Vertragsschluss durch Aufnahme einer Schiedsklausel (*Arbitrageklausel*) in den Vertrag zu treffen.

Nachtrag

Im Mai 2001 legte die Bundesregierung den Entwurf eines Gesetzes zur Modernisierung des Schuldrechts im Bürgerlichen Gesetzbuch vor, das anlässlich der Umsetzung von drei EU-Richtlinien die Rechtsbeziehungen zwischen Verkäufer und Käufer in wesentlichen Punkten neu regeln soll. So ist u. a. vorgesehen, die gesetzliche Gewährleistungsfrist von sechs Monaten auf zwei Jahre zu verlängern, was der im UN-Kaufrecht vorgesehenen Frist entspricht. Da zu erwarten ist, dass der Entwurf im Zuge des Gesetzgebungsverfahrens noch verändert wird, lässt sich zum Zeitpunkt der Drucklegung des Buches noch nichts Genaueres über die anstehende BGB-Reform sagen.

B. Die Handelskorrespondenz im Zeitalter von Computer und Internet

Erstellung und Übermittlung von Mitteilungen

Das wichtigste Hilfsmittel für die Korrespondenzbearbeitung ist heutzutage der mit einer Textverarbeitungssoftware ausgestattete Computer. Der Verfasser schreibt die Mitteilung entweder selbst auf dem Computer oder diktiert sie einer Schreibkraft, die das Steno- oder Maschinendiktat anschließend in den Computer eingibt. Dank der Fortschritte in der Spracherkennungstechnik ist damit zu rechnen, dass die Texteingabe über die Tastatur in absehbarer Zeit durch die akustische Eingabe über ein Mikrofon ersetzt wird.

Der eingegebene Text wird – nachdem er am Bildschirm korrigiert und editiert wurde – entweder auf elektronischem Weg übermittelt oder ausgedruckt. Der Ausdruck kann dann mit der Post oder mittels eines Telefaxgeräts dem Empfänger zugeleitet werden.

Mit einem Telefaxgerät kann man über das Fernsprechnetz Texte, Grafiken und Bildmaterial von einem Gerät zum anderen übertragen. Über ein Modem lassen sich Faxmitteilungen auch mit dem Computer senden und empfangen. Den Austausch elektronischer Nachrichten bezeichnet man als „elektronische Post" (E-Mail).

Eine interessante Möglichkeit, die die elektronische Textverarbeitung bietet, ist die Bausteinverarbeitung. Hierunter versteht man die Speicherung von Briefteilen, die in einer bestimmten Reihenfolge abgerufen und zu einem Brief kombiniert werden können. Auf diese Weise ist es möglich, Serienbriefe und Serienfaxe mit variablen Elementen zu erstellen.

Internet und elektronischer Handel

Das Internet ist ein weltumspannendes Rechnernetz, das unterschiedliche Arten des Informationsaustausches bietet, z. B. E-Mail, Datenbanken und Diskussionsgruppen. Das World Wide Web (WWW) stellt den grafischen, multimedialen Teil des Internets dar.

Internetdienstanbieter (*Internet Service Providers*) sind Unternehmen oder Organisationen, die – meist gegen eine Gebühr – Internetverbindungen anbieten. Firmen, die im WWW werben wollen, lassen sich von einer Internetfirma eine Web-Präsenz in Form einer Website einrichten. Die Startseite einer Website, die sog. „Homepage", verzweigt zu weiteren Seiten. Internetbenutzer können gezielt eine bestimmte Website durch Eingabe der Adresse aufrufen oder sich beim „Surfen" im Internet die Websites der in- und ausländischen Anbieter in einem bestimmten Marktsegment ansehen. Die Suche im Internet wird durch spezielle Programme („Suchmaschinen") erleichtert.

Das Internet ist ein weltumfassender Markt, auf dem durch den Austausch von elektronischen Mitteilungen Geschäfte zwischen Unternehmen und Endverbrauchern („Business to Consumers" – „B2C") sowie zwischen Unternehmen

(„Business to Business" – „B2B") getätigt werden können (*E-Commerce*). Ein Anbieter hat so die Möglichkeit, mittels seiner Website potentielle Kunden auf der ganzen Welt anzusprechen. Dabei muss er sich natürlich auch einer internationalen Konkurrenz stellen. Kaufinteressenten können unter den verschiedenen Angeboten rasch und bequem das attraktivste auswählen.

Die elektronisch bestellten Waren werden in der Regel in der herkömmlichen Weise geliefert, da eine elektronische Lieferung nur bei wenigen Waren (z. B. Computer-Software) möglich ist. Für die Zahlung stehen dem Käufer jedoch neben den konventionellen Zahlungsarten auch elektronische Verfahren zur Verfügung. Eine wachsende Zahl von Firmen und Verbrauchern nutzt diese Verfahren, die laufend verbessert werden.

Der elektronische Handel wird dadurch erschwert, dass es bei E-Mails keine handschriftliche Unterschrift gibt. Außerdem besteht die Gefahr, dass elektronische Mitteilungen während der Übermittlung verstümmelt oder von Dritten mitgelesen, abgefangen oder verändert werden. Zur Identifizierung des Absenders und zur Prüfung der Echtheit und der Vollständigkeit elektronischer Nachrichten sind daher technische Verfahren entwickelt worden, die man als „digitale Signatur" bezeichnet. Die digitale Signatur wird zunehmend als Ersatz für die eigenhändige Unterschrift anerkannt. Unabhängig von der Verwendung einer digitalen Signatur müssen vertrauliche Mitteilungen mittels kryptografischer Verfahren verschlüsselt werden.

Homepage des Max Hueber Verlags

C. Die Form der kaufmännischen Mitteilungen

Die wichtigsten kaufmännischen Mitteilungen – was die Art der Übermittlung betrifft – sind Geschäftsbrief, Telefax und E-Mail. Telex wird kaum mehr verwendet.

Der deutsche Standard-Geschäftsbrief

Der Brief auf S. 22 ist ein Beispiel für den deutschen Standard-Geschäftsbrief. Der Musterbrief enthält die folgenden Bestandteile:

1. Briefkopf
2. Anschrift des Empfängers
3. Bezugszeichen und Datum
4. Betreffzeile
5. Anrede
6. Brieftext
7. Schlussformel
8. Unterschrift
9. Anlagevermerk
10. Kopiehinweis

(Geschäftsbriefe weisen nicht immer alle diese Punkte auf, da einige nur bei Bedarf verwendet werden.)

Briefkopf

Der Briefkopf besteht aus dem Namen und der Anschrift der Firma und weiteren Informationen wie Telefon- und Telefax-Nummern, E-Mail- und Internet-Adresse. Angaben über die Firma findet man häufig auch am unteren Ende des Briefvordrucks oder am Rand. In Deutschland gibt es gesetzliche Vorschriften für die von kaufmännischen Unternehmen auf Geschäftsbriefen zu machenden Angaben (siehe *Pflichtangaben auf Geschäftsbriefen* im Glossar).

Anschrift des Empfängers

Die Anschrift besteht aus dem Namen und der Postanschrift des Empfängers. Bei Verwendung von Fensterbriefhüllen wird der Brief so gefaltet, dass die Empfängeranschrift auf dem Briefblatt im Fenster der Briefhülle erscheint. Die klein gedruckten Absenderangaben stehen unmittelbar über dem Anschriftenfeld, so dass auch sie im Fenster sichtbar sind.

Bei Einzelpersonen setzt man *Herrn, Frau* oder *Fräulein* vor den Namen. Soweit die Empfängerin nicht die Anrede *Fräulein* vorzieht, benutzt man grundsätzlich auch bei unverheirateten weiblichen Personen die Anrede *Frau*. *Herrn* oder *Frau* kann man über oder neben den Namen setzen.

> Herrn
> Johannes Baumgartner

> Frau Ilse Schmitt

Berufs- oder Amtsbezeichnungen werden in der Regel neben *Herrn* bzw. *Frau*, längere unter den Namen geschrieben. Akademische Grade (z. B. *Dr., Dipl.-Ing.*) stehen vor dem Namen.

> Herrn Rechtsanwalt
> Dr. Georg Sauer

> Frau Ministerialrätin
> Dr. Karin Hauser

> Herrn
> Dipl.-Ing. Karl Bauer

Bei Briefen an Unternehmen wird der Firmenname (siehe *Firma* im Glossar) angegeben.

> Martina Heckler e. Kfr.

> Textilgroßhandel
> Maier & Co. KG

> Süddeutsche
> Maschinenbau AG

Soll ein an ein Unternehmen adressierter Brief einer bestimmten Person zugeleitet werden, wird der Name dieser Person unter den Empfängernamen gesetzt.

> Gollmann & Winter oHG
> Frau Johanna Mertens

Da bei dem obigen Beispiel der Brief an die Firma gerichtet ist, darf ihn auch ein anderer als Frau Mertens öffnen. Ist jedoch Frau Mertens der Empfänger, so ist nur sie zur Öffnung des Briefes berechtigt.

> Frau Johanna Mertens
> Gollmann & Winter oHG

Die Postanschrift besteht aus Straße und Hausnummer sowie der Ortsangabe mit Postleitzahl. Bei Auslandsanschriften ist auch das Bestimmungsland anzugeben. Im Postverkehr mit Ländern, in denen die Postleitzahl vor dem Ortsnamen steht, wird als Hinweis auf das Bestimmungsland das jeweilige

Nationalitätskennzeichen für Kraftfahrzeuge vor die Postleitzahl gestellt. In der Bundesrepublik Deutschland gelten seit dem 1. Juli 1993 fünfstellige Postleitzahlen.

```
Herrn
Rolf Schneider
Ganghoferstraße 34

80399 München
```

```
Frau Rosa Spöri
Baseler Straße 5

CH-3000 Bern
```

Wenn der Empfänger ein Postfach hat, gibt man anstelle von Straße und Hausnummer die Nummer des Postfachs an.

Postsendungen mit dem Vermerk *Postlagernd* werden beim Zustellpostamt zur Abholung bereitgehalten.

Anweisungen an die Post (z. B. *Mit Luftpost, Einschreiben, Eilzustellung*) werden über die Anschrift gesetzt. Behandlungsvermerke wie *Eilt* oder *Vertraulich* stehen rechts neben der Anschrift oder dem Betreff.

Bezugszeichen und Datum

Bezugszeichen sind die Diktatzeichen des Geschäftspartners und das Datum seines Schreibens sowie die eigenen Diktatzeichen und eventuell auch das Datum eines früheren Schreibens. Auf dem Briefblatt können Leitwörter für die Bezugszeichen (*Ihre Zeichen – Ihre Nachricht vom – Unsere Zeichen – Unsere Nachricht vom*) aufgedruckt sein. Viele Firmen verwenden jedoch Briefbögen ohne aufgedruckte Bezugszeichen-Leitwörter, da sich diese Bögen auch für Brieffortsetzungen (Folgeseiten) eignen.

Das Datum kann auf verschiedene Weise geschrieben werden:

```
6. September 20--
6. Sept. 20--
6. 9.--
06. 09.--
```

(Die internationale Normenbehörde ISO empfiehlt bei der nummerischen Schreibweise die Reihenfolge Jahr–Monat–Tag: 20..-09-06.)

Betreffzeile

Als Betreff bezeichnet man eine stichwortartige Inhaltsangabe; sie steht für sich allein (d. h. ohne das Wort *Betreff*) und wird nicht unterstrichen.

Anrede

Die Standardanrede bei Einzelpersonen lautet:

> Sehr geehrte Frau Schultze

> Sehr geehrter Herr Müller

Wenn man den Empfänger gut kennt, kann man auch schreiben:

> Lieber Herr Müller

> Liebe Frau Schultze

Die Standardanrede für Firmen und Organisationen ist:

> Sehr geehrte Damen und Herren

(*Sehr geehrte Herren* wird nur dann verwendet, wenn man sicher weiß, dass in dem betreffenden Bereich keine Damen tätig sind.)

In Werbebriefen findet man auch Anreden wie z. B. *Sehr geehrte Kundin, Sehr geehrter Kunde, Lieber Gartenfreund.*

Brieftext

Damit der Brief übersichtlich wird, deutet man an, welche Zeilen gedanklich zusammengehören, indem man Absätze macht.

Ist der Brief länger als eine Seite, wird er auf einer oder mehreren Folgeseiten fortgesetzt. Durch drei Punkte am Ende einer Seite wird auf die folgende Seite hingewiesen.

Wenn ein Blankoblatt als Folgeseite verwendet wird, vermerkt man auf diesem die Seitenzahl, den Empfänger, das Datum und eventuell das Diktatzeichen. Viele Firmen benutzen Folgeseiten mit gedruckten Leitwörtern, wie z. B.:

Empfänger:
Unsere Zeichen:
Datum:
Blatt:

Wie bereits erwähnt, gibt es Briefblätter, die sowohl für die erste Seite eines Briefes als auch für Folgeseiten verwendet werden können.

Schlussformel

Die Schlussformel bei Geschäftsbriefen lautet meist:

> Mit freundlichen Grüßen

Andere mögliche Schlussformeln sind:
Mit freundlichem Gruß und *Freundliche Grüße*
Wenn man den Partner gut kennt, verwendet man
die folgenden Schlussformeln:

> Mit bestem Gruß
> Mit herzlichen Grüßen
> Herzliche Grüße

Unterschrift

Unterschriftsberechtigt sind Geschäftsinhaber, deren gesetzliche Vertreter
und die entsprechend bevollmächtigten Personen. Der Bevollmächtigte zeichnet
unter dem Namen des Vollmachtgebers mit einem Zusatz, der auf das Voll-
machtsverhältnis hinweist. Der Handlungsbevollmächtigte setzt vor seine Unterschrift i. V. (*in Vollmacht*) oder i. A. (*im Auftrag*), der Prokurist *ppa.* (*per procura*).

> Carl Hahn oHG
>
> *Schmidt*
>
> ppa. Schmidt
> Verkaufsleiter

> Süddeutsche
> Maschinenfabrik AG
>
> *Lüders   Klatte*
>
> ppa. Lüders i. A. Klatte

Bei Verwendung eines Kopfbogens kann auf die Wiederholung des Firmennamens verzichtet werden. Bei Doppelunterschriften ist die rechte Unterschrift die des Sachbearbeiters oder Abteilungsleiters, die linke Unterschrift die seines Vorgesetzten.

Gelegentlich kommt es vor, dass der Diktierende den fertigen Brief nicht unterschreiben kann, weil er inzwischen das Haus verlassen hat. In diesem Fall setzt die Schreibkraft den Vermerk *Nach Diktat verreist* auf den Brief und unterschreibt mit dem eigenen Namen.

Anlagevermerk und Kopiehinweis

Werden dem Brief eine oder mehrere Anlagen beigefügt, vermerkt man dies links unten auf dem Kopfbogen. Falls eine oder mehrere Personen eine Kopie des Schreibens erhalten sollen, wird ein entsprechender Hinweis unter den Anlagevermerk gesetzt. Man verwendet zu diesem Zweck entweder das Wort „Kopie(n)" oder die englische Abkürzung „Cc" (*carbon copy* = Durchschlag). Blindkopien, die für die übrigen Empfänger nicht angezeigt werden, kennzeichnet man mit der Abkürzung „Bcc" (*blind carbon copy*).

Telefax

Das Muster auf S. 23 zeigt eine Telefax-Mitteilung (Fax). Für Faxe werden Vordrucke (*Deckblätter*) verwendet, die sich in verschiedener Hinsicht von den Kopfbögen für Briefe unterscheiden. Die Computer-Faxprogramme bieten dem Benutzer eine Auswahl verschiedener Deckblätter.

Auf dem Fax werden vermerkt: der oder die Empfänger (gegebenenfalls auch der oder die Empfänger von Kopien), Absender, Datum und Betreff. Meist wird auch die Zahl der übermittelten Seiten angegeben, damit der Empfänger nachprüfen kann, ob er die Mitteilung vollständig erhalten hat. Anrede und Schlussformel werden oft weggelassen.

E-Mail

Auf S. 24 ist eine E-Mail abgebildet. Der oder die Empfänger (gegebenenfalls auch der oder die Empfänger von Kopien) werden eingegeben oder aus dem Adressenspeicher abgerufen. Außerdem ist stets ein Betreff anzugeben. Absender, Datum und Uhrzeit werden vom Computer automatisch eingesetzt. Der E-Mail kann eine andere Datei als Anhang beigefügt werden. Auf Anrede und Schlussformel wird manchmal verzichtet.

Schreibstil

Alle kaufmännischen Mitteilungen – Brief, Fax oder E-Mail – können in einem förmlichen oder einem lockeren Stil abgefasst sein, was zum einen von der Art der Nachricht und zum anderen davon abhängt, ob sich die Korrespondenzpartner persönlich kennen oder nicht. Wie ein Vergleich der Brief-, Fax- und E-Mail-Muster in diesem Buch zeigt, kann man aus dem sprachlichen Stil einer Mitteilung nicht unbedingt darauf schließen, um welche Art von Mitteilung es sich handelt. Andererseits lässt sich jedoch feststellen, dass bei den elektronischen Mitteilungen, vor allem bei E-Mails, eine generelle Tendenz zu einem ungezwungenen Umgang mit der Sprache besteht. Typisch für diese Art von Mitteilungen ist ein der Umgangssprache angenäherter Schreibstil („Telefonsprache") und die Verwendung umgangssprachlicher Begrüßungs- und Abschiedsformeln (*Hallo, Mach's gut!, Schönen Tag noch!*).

Das „E-Mail-Fitnessprogramm"

Das „E-Mail-Fitnessprogramm" von Heidelberger Druckmaschinen enthält Hinweise, die die Mitarbeiter im E-Mail-Verkehr beachten sollen. Es dient hier als Beispiel für firmeninterne Richtlinien im Kommunikationsbereich.

Fit für die E-Mail

Gegenüber schriftlichen Notizen auf Papier und oft Zeit raubendem Telefonieren (besetzt, nicht am Platz, voice box) besitzt die E-Mail viele Vorzüge. Auch bei der Kommunikation nach außen setzt es sich via Internet immer klarer gegen das Fax und die herkömmliche Korrespondenz durch.

Die E-Mail ist heute das meistbenutzte Informationsmedium innerhalb der Heidelberg-Gruppe. Es steigert den Informationsaustausch und kann ihn sogar verbessern, wenn möglichst viele Nutzer die wenigen Punkte unseres E-Mail-Fitnessprogramms zur Routine werden lassen.

14 Schlankmacher beschleunigen die Kommunikation, reduzieren den Aufwand und bewahren uns schließlich vor einem Informationsinfarkt. Das Kurzprogramm macht Sie fit für einen noch effektiveren, kreativen Einsatz der E-Mails für Ihre Arbeit

Sie spüren das schnell, wenn Sie es mit komplexeren Inhalten und großen Verteilern zu tun haben. Mit einer schlanken E-Mail sind Sie einfach schneller am Ziel!

Die 14 wichtigsten Schlankmacher
1. Präziser Empfängerkreis
2. Klare Erwartungen
3. Klare Trennung
4. Klare Überschriften
5. Kleiner Anhang
6. Keine Lawinen
7. Klares Feedback
8. Nicht immer an alle
9. Ab und zu Vertretung
10. Nur per E-Mail
11. Keine Klassik
12. Kein Schwarzmailen
13. Sicherer Schutz
14. Öfter mal tricksen

Präzisieren Sie den Empfängerkreis

Senden Sie Ihre Information nur an die Adressaten, die diese wirklich benötigen. „Schrotschüsse" machen die Empfänger irgendwann immun und keiner reagiert.

Verdeutlichen Sie Ihre Erwartungen

Drücken Sie klar aus, welche Reaktionen Sie von welchem Adressaten erwarten. Ihr Anliegen sollte klar und vollständig formuliert sein.

Trennen Sie zwischen AN und CC

Der Adressat unter AN wird aktiv in die Kommunikation einbezogen, von ihm wird eine aktive Bearbeitung der E-Mail erwartet, die Empfänger unter CC werden lediglich über diesen E-Mail-Austausch informiert.

Nutzen Sie aussagekräftige Titel

Bereits aus dem Titel und den ersten Zeilen sollte klar erkennbar sein, um was es in dieser E-Mail geht. Dies erleichtert die Abarbeitung für den Empfänger.

Im neuen E-Mail-System können Sie als Benutzer eine Ansicht wählen, die Ihnen neben dem Titel auch die ersten drei Zeilen anzeigt, so dass Sie einen schnelleren Überblick über die Inhalte Ihrer E-Mails gewinnen.

Bei einem längeren Hin und Her von E-Mails ändert sich oft das Thema. Prüfen Sie, ob eine Anpassung des Titels notwendig ist.

Minimieren Sie Anhänge

Solange Sie nur Text senden, bleiben E-Mails klein. Bedenken Sie jedoch, dass Anhänge, insbesondere Worddokumente, Grafiken und Fotos, schnell ein paar hundert Kilobyte zusammenbringen und bei großen Verteilerkreisen zu einer erheblichen Systembelastung führen. Gehen Sie daher verantwortungsbewusst mit solchen Anhängen um.

Wenn sich wesentliche Informationen im Anhang befinden, sollte dies klar im Text formuliert sein. Überlegen Sie insbesondere bei großen Verteilerkreisen, ob es eine Möglichkeit gibt, Anhänge auf einem Server oder dem Intranet so abzulegen, dass alle darauf zugreifen können.

Dann brauchen Sie im E-Mail nur zu erläutern, wie darauf zugegriffen werden kann. Zukünftig kann dies sogar einfach per Hyperlink im E-Mail geschehen, so dass ein Klick das entsprechende Dokument im Intranet öffnet. Nutzen Sie diese neuen Möglichkeiten.

Stoppen Sie Lawinen

Externe E-Mails geben oft vor, über Viren und andere Gefahren zu warnen oder setzen Kettenbriefe ingang. Sie haben aber das gesamte E-Mail-System im Visier und möchten es durch eine Lawine ins Wanken bringen. Beteiligen Sie sich nicht an diesen Versuchen, stoppen Sie die Lawine!

Senden Sie diese Warnung keinesfalls weiter. Im Zweifel wenden Sie sich an Ihren Benutzerservice.

Geben Sie Ihr Feedback

Wenn Sie eine Information nicht benötigen oder sonstige Kommentare haben, teilen Sie dies klar dem Absender mit.

Vorsicht mit der Funktion „Allen Antworten"

Bei den meisten Anliegen einer E-Mail können Sie sich auf eine Antwort an den Absender beschränken.

Bearbeiten Sie Ihre E-Mail-Box regelmäßig.

Wir gehen davon aus, dass Sie Ihre E-Mail regelmäßig bearbeiten. Sollten Sie mehrere Tage verhindert sein, dann nutzen Sie die Funktion „Stellvertreter" bzw. den „Abwesenheits-Assistenten" im Menüpunkt Extras.

Antworten Sie auf E-Mail per E-Mail

Die effizienteste Antwort auf eine E-Mail ist … eine E-Mail.

Meiden Sie die klassischen Wege

Memos und Notizen sind heute die langsamsten und aufwendigsten Kommunikationsmittel, die Sie nur noch einsetzen sollten, wenn wirklich keine andere Möglichkeit besteht.

Unterscheiden Sie zwischen geschäftlicher und privater Nutzung

Unsere E-Mail ist für jeden da – geschäftlich. Widerstehen Sie loyal der technischen Möglichkeit der privaten Nutzung.

Schützen Sie vertrauliche Informationen

Denken Sie daran, dass das E-Mail kein absolut vertrauliches Medium ist. Wenn Sie besondere Anforderungen haben, schauen Sie bitte im Intranet nach und lassen Sie sich von Ihrem IT-Bereich beraten.

Nutzen Sie Tips und Tricks

Das E-Mail-System bietet Ihnen eine Reihe sehr nützlicher Tips und pfiffiger Tricks für Ihre Arbeit mit dem E-Mail. Nutzen Sie die Hilfe-Funktion und schauen Sie auf die Intranetseiten Ihres IT-Bereichs

Hueber

Max Hueber Verlag
International Sales

Max-Hueber-Straße 4
D-85737 Ismaning

Hueber Verlagsgruppe · Postfach 11 42 · D-85729 Ismaning

(1)
Telefon: +49 - (0 89) 96 02-3 57
Telefax: +49 - (0 89) 96 02-3 54

Internet: http://www.hueber.de
E-Mail: prokopy@hueber.de

(2)
Inter Trade
Frau Agnes Mazac
P. O. Box 124

1389 Budapest
UNGARN

(3)
5. Mai 20--
li

(4) **Vertriebskooperation in Ungarn**

(5) Sehr geehrte Frau Mazac,

wir danken Ihnen vielmals für Ihre Anfrage vom 2. Mai 20-- und freuen uns, dass Sie an unserem Verlagsprogramm interessiert sind. Wie Sie sicherlich wissen, sind wir ein international tätiger Fachverlag für Sprachen. Unser Programm DEUTSCH ALS FREMDSPRACHE umfasst Lehrwerke für Erwachsene, Jugendliche und Kinder, (6) Fachsprachen sowie zahlreiche Übungsmaterialien, Videos und Computerprogramme.

Weitere Einzelheiten entnehmen Sie bitte den beiliegenden Katalogen.

Wir freuen uns auf das bevorstehende Gespräch auf der Frankfurter Buchmesse.

(7) Mit freundlichen Grüßen

MAX HUEBER VERLAG

(8)

Peter Prokopy
International Sales

(9) Anlage
(10) cc: Vertrieb

Ust (VAT)-Id-Nr. DE 130 002 447 · HypoVereinsbank München (BLZ 700 202 70) Kto. 36 102 500 · Postbank München (BLZ 700 100 80) Kto. 362 38-803
Max Hueber Verlag GmbH & Co KG, Amtsgericht München: HRA 49304 · Persönlich haftende Gesellschafterin: Sprachen-Hueber Verlagsges. mbH,
Amtsgericht München: HRB 45498 · Sitz der Gesellschaften: Ismaning · Geschäftsführung: Michaela Hueber

Telefax

Seiten/pages:

Colegio Aleman de Montaca
z. H. Frau Maria Gonzalez

FAX: 00 52 (3) 999 58 60

Hueber

Max Hueber Verlag
International Sales

Max-Hueber-Straße 4
D-85737 Ismaning

Telefon: +49 - (0 89) 96 02-3 57
Telefax: +49 - (0 89) 96 02-3 54

Internet: http://www.hueber.de

E-Mail: prokopy@hueber.de

9. Februar 20--

Ihre Anfrage zu „Tangram 1"

Sehr geehrte Frau Gonzalez,

vielen Dank für Ihre Anfrage vom 7. Februar und Ihr Interesse an unserem
Deutsch-Lehrwerk „Tangram 1".

Wir möchten darauf hinweisen, dass Sie das Hueber-Programm in Mexiko
am einfachsten und günstigsten über unseren Distributor in Monterrey
beziehen können:

Librería Damas
Frau Maria Reyes
Av. Plata 1230
Monterrey, N.L. 64587
Tel. (8) 333 40 56
Fax (8) 347 41 38

Freiexemplare können leider prinzipiell nur über die Stelle bezogen werden, die
auch die Bestellung abwickelt.

Mit freundlichen Grüßen

MAX HUEBER VERLAG

Maja Neuser
International Sales

E-Mail	✖

Mail von: Max Hueber Verlag	an: eva_grosshauser@hotmail.com
Betreff: Video-Titel	Anhang:

Sehr geehrte Frau Grosshauser,

vielen Dank für Ihr ausführliches Schreiben vom 12.3.20-- und Ihre Interesse an
"Hallo aus Berlin" und "Susanne". Gerne schicken wir Ihnen die gewünschten
Lehrerpakete dieser Video-Titel.

Unsere Liefer- und Zahlungsbedingungen für das Ausland lauten:

- Lieferung nach Vorkasse; Zahlung per Scheck, Überweisung oder Kreditkarte.
- Versandkosten gehen zu Lasten des Bestellers. Verpackungskosten werden im
Allgemeinen nicht berechnet.

Wir schlagen Ihnen die Zahlung per Kreditkarte vor. Geben Sie in diesem Fall
bitte per Fax Ihre Kreditkartennummer und die Gültigkeit der Karte an.

Die Versandkosten für die gewünschte Menge betragen voraussichtlich:
- Luftpost / ohne Einschreiben: Euro 6,-
- Luftpost / Einschreiben: Euro 8,-

Die Zustellung erfolgt innerhalb von 4-5 Arbeitstagen.

Mit freundlichen Grüßen

MAX HUEBER VERLAG

Susanne Lichtenvort
International Sales

Tel: (0 89) 9602 226
Fax: (0 89) 9602 354
E-Mail: lichtenvort@hueber.de

MAX HUEBER VERLAG
Max-Hueber-Str. 4
85737 Ismaning

1 Firmennachweis

1.1 Einleitung

Eine Firma, die im Ausland Abnehmer, Lieferanten oder andere geschäftliche Verbindungen sucht, muss zunächst einmal die Namen und Adressen potentieller Geschäftspartner feststellen.

Zu diesem Zweck bittet sie z. B. die Handelskammer, bei der sie Mitglied ist, ihre Bank, eine offizielle Vertretung des fremden Landes oder eine im eigenen Land ansässige ausländische Handelsförderungsstelle um Nachweis geeigneter Unternehmen. Die Kontakt suchende Firma kann sich auch an eine offizielle Vertretung oder Handelsförderungsstelle des eigenen Landes im Ausland, eine ausländische Handelskammer oder einen anderen Vermittler im Ausland wenden.

Immer häufiger werden geschäftliche Kontakte auch über das Internet hergestellt.

1.2 Musterbriefe

1.2.1 Briefreihe I, a (→ 2.2.1)[1]

Hartmann oHG, ein Münchner Bekleidungsunternehmen, wendet sich an die Italienische Handelskammer in München:

Italienische Handelskammer
Maximiliansplatz 18

80333 München   25. 8. 20--

Firmennachweis

Sehr geehrte Damen und Herren,

als Hersteller von Damenkostümen haben wir laufend Bedarf an Wollstoffen. Wir möchten nun auch von italienischen Textilfabriken Angebote einholen und bitten Sie deshalb, uns die Namen und Anschriften einiger zuverlässiger Firmen in dieser Branche mitzuteilen.

Mit freundlichen Grüßen
Hartmann oHG
i. V. Steger

---

[1] Die bei den Briefreihen verwendeten Pfeile haben folgende Bedeutung:
→ verweist auf den Folgebrief des betreffenden Geschäftsvorfalles.
← verweist auf den vorausgehenden Brief.
Wenn Sie sich also einen Überblick über eine Briefreihe verschaffen wollen, können Sie – wie in einem Aktenordner – vor- und zurückblättern.

1.2.2 Deutsche Maschinenfabrik schreibt an die
Deutsch-Finnische Handelskammer in Helsinki

Deutsch-Finnische Handelskammer
Kalevankatu 3 B

SF-00101 Helsinki

1. 10. 20--

Sehr geehrte Damen und Herren,

wir sind Hersteller von Spezialmaschinen für die Holzbearbeitung und möchten
gerne mit Firmen in Finnland in Verbindung treten, die Bedarf an solchen
Maschinen haben.

Um Ihnen einen Überblick über unser Fertigungsprogramm zu geben, legen
wir einige Prospekte bei. Wir sind seit über 50 Jahren auf die Herstellung
von Holzbearbeitungsmaschinen spezialisiert und verfügen über große Erfahrung
auf diesem Gebiet.

Wir wären Ihnen sehr dankbar, wenn Sie uns finnische Firmen nennen könnten,
die sich eventuell für unsere Erzeugnisse interessieren. Wir werden uns dann direkt
an diese Firmen wenden.

Mit freundlichen Grüßen
Maschinenfabrik Stenzel GmbH

Anlagen

1.2.3   Österreichische Firma sucht Bezugsquellen

Von: Kaltenegger HandelsgesmbH
              Gerbergasse 15
              A-4020 Linz

Telefon: 07 32 / 60 70 27
Fax: 07 32 / 60 70 34

An: Industrie- und Handelskammer
              für München und Oberbayern

Fax: 0 89 / 51 16-306

Datum: 21. 08. 20--
Anzahl der übermittelten Seiten: 1
Unsere Zeichen: ED/ml

BETREFF
Firmennachweis

Sehr geehrte Damen und Herren,

wir suchen Lieferanten von Brauerei- und Mälzereigeräten. Bitte nennen Sie uns
Namen und Adressen (mit Telefon- und Telefax-Nr.) von Firmen in Ihrem Kammer-
bezirk, die solche Geräte herstellen.

Mit freundlichen Grüßen

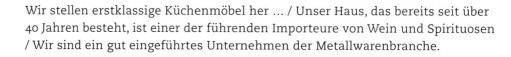

1.3   Briefbausteine

Wir stellen erstklassige Küchenmöbel her ... / Unser Haus, das bereits seit über 40 Jahren besteht, ist einer der führenden Importeure von Wein und Spirituosen / Wir sind ein gut eingeführtes Unternehmen der Metallwarenbranche.

... suchen Abnehmer für unsere Erzeugnisse / ... Importeure, die daran interessiert wären, den Vertrieb unserer Erzeugnisse zu übernehmen / ... Partner, die unsere Produkte importieren und vertreiben möchten.

... möchten ... einführen / suchen Kontakt zu Herstellern von Naturkosmetika.

... suchen leistungsfähige Firmen, die bereit wären, unsere Vertretung zu übernehmen / ... eine Firma, die in der Lage ist, unsere Erzeugnisse auf dem schwedischen Markt einzuführen.

... möchten gerne mit einem Hersteller von Kopiergeräten Kontakt aufnehmen, der einen Vertreter in der Bundesrepublik Deutschland sucht.

... sind an einer Kooperation mit französischen Unternehmen interessiert, die im Bereich Industrieanlagenbau tätig sind.

... suchen eine englische Firma, die unsere Geräte in Lizenz herstellen möchte.

... sind daran interessiert, Lizenzen für innovative Produkte im Bereich Umweltschutz zu erwerben.

... suchen Geschäftspartner für ein Joint Venture zur Herstellung von Elektroantrieben.

Wir wären Ihnen sehr dankbar, wenn Sie uns geeignete Firmen nennen könnten / ... uns helfen könnten, mit Unternehmen, die die genannten Voraussetzungen erfüllen, in Verbindung zu treten.

Wir wären Ihnen dankbar, wenn Sie Ihre Mitgliedsfirmen auf unser Angebot aufmerksam machen könnten.

Vielleicht wäre es Ihnen möglich, unsere Anfrage in Ihrem Mitteilungsblatt zu veröffentlichen.

1.4   Übungen

1.4.1   Cotex, Bursa (Türkei), an Fachverband Textilmaschinen in Frankfurt/Main

Die Firma Cotex möchte in Deutschland einen automatischen Webstuhl kaufen. Die Botschaft der Bundesrepublik Deutschland verweist sie an den Fachverband Textilmaschinen. Entwerfen Sie das Schreiben von Cotex an den Fachverband.

1.4.2   WALA, Kattowitz (Polen), an Industrie- und Handelskammer, Augsburg

Das polnische Unternehmen, das in den Bereichen Produktion von Schweiß-materialien/Schweißtechnik tätig ist, sucht Kontakt zu Firmen in der Bundesrepublik, die ähnliche Tätigkeitsbereiche haben und an einer Zusam-menarbeit interessiert sind.

1.4.3   Peter Petersen A/S, Viborg (Dänemark), an Gerhard Wolff, Hamburg

Die Firma Petersen stellt Stühle und Tische aus massiver skandinavischer Eiche her und sucht zum weiteren Ausbau ihrer Geschäftsbeziehungen einen Handelsvertreter für die Bundesrepublik Deutschland. Sie bittet ihren Hamburger Geschäftsfreund Wolff, ihr bei der Vertretersuche behilflich zu sein.

Der gesuchte Vertreter sollte über gute Kontakte zu Möbelfachgeschäften und Einkaufszentren verfügen.

2 Anfrage

2.1 Einleitung

Dieses Kapitel behandelt Anfragen, die Kaufinteressenten an Lieferfirmen richten[1], um sich allgemein über das Angebot einer Firma sowie deren Preise und Verkaufsbedingungen zu informieren, spezielle Fragen (z. B. Lieferbarkeit einer bestimmten Ware, Lieferzeit, technische Einzelheiten) zu klären oder sich ein Angebot vorlegen zu lassen. Wenn der Interessent ein ausführliches Angebot anfordert, muss er in seiner Anfrage alle Angaben machen, die der Lieferant zur Ausarbeitung des Angebots benötigt. Anfragen sind stets unverbindlich.

2.2 Musterbriefe

2.2.1 Briefreihe I, b (← 1.2.1, → 3.4.1)

Hartmann oHG sendet Anfragen an die italienischen Webereien, die ihr von der Italienischen Handelskammer in München genannt wurden. Unter diesen befindet sich Cora S.p.A., eine Firma in Biella, zu deren Korrespondenzsprachen auch Deutsch gehört.

Cora S.p.A.
Piazza Vecchia

I-13051 Biella   31. 8. 20--

Sehr geehrte Damen und Herren,

die Italienische Handelskammer in München war so freundlich, uns Ihre Anschrift zur Verfügung zu stellen.

Wir sind Hersteller von Damenkostümen und benötigen laufend Wollstoffe guter Qualität in den gängigen Farben. Bitte senden Sie uns so bald wie möglich ein Angebot mit Mustern Ihrer Stoffe und ausführliche Angaben über Lieferzeiten, Preise, Liefer- und Zahlungsbedingungen.

Auskünfte über unsere Firma erhalten Sie jederzeit von der Dresdner Bank in München.

Sollten Ihre Erzeugnisse im Hinblick auf Preis und Qualität konkurrenzfähig sein, wären wir an einer dauerhaften Geschäftsverbindung interessiert.

Mit freundlichen Grüßen
Hartmann oHG
Karl Rahner

---

[1] Anfragen im Zusammenhang mit der Anbahnung geschäftlicher Kontakte sind Gegenstand des vorausgehenden Kapitels. Mit Anfragen zur Feststellung der Kreditwürdigkeit (Kreditauskunftsersuchen) befasst sich Kapitel 6.

2.2.2 Anfrage wegen eines Fördersystems (E-Mail)

E-Mail	☒

Mail von: Céramique CEPOC	an: Berthold Fördertechnik
Betreff: Anfrage	Anhang:

Wir suchen ein automatisiertes Fördersystem für unser Lager und sind derzeit dabei, die führenden Hersteller im EU-Raum zum Wettbewerb aufzufordern.

Als Anhang senden wir Ihnen eine ausführliche Beschreibung der technischen und logistischen Anforderungen, die ein solches System erfüllen muss, und erwarten Ihre Vorschläge für eine optimale und möglichst kostengünstige Lösung.

Wir würden uns freuen, bald von Ihnen zu hören.

Mit freundlichen Grüßen
Céramique CEPOC
Jacques Perrier

2.2.3 Anfrage wegen Zuchtperlen

Sehr geehrte Damen und Herren,

Ihrer Anzeige in der letzten Nummer der „Übersee-Post" entnehmen wir, dass Sie erstklassige Zuchtperlen liefern.

Wir interessieren uns für 3/4-Zuchtperlen, gebohrt, in den Größen von 4–8 mm, und bitten um Zusendung eines Angebots mit Mustern.

Ihrer baldigen Antwort sehen wir mit Interesse entgegen.

Mit freundlichen Grüßen
HAMMER & SÖHNE GMBH & CO.

2.2.4 Elektronische Anfrage wegen eines Zubehörteils

FAG Sales Europe GmbH

Betreff: ANFRAGE

Datum: 19. 04. 20--
Unser Zeichen: EB/k

Wir bitten Sie um ein Angebot für

1 St. Artikel 22205E
Nr. 60518875

Lieferung: 20. 04. 20--

Kammbach AG
Interlaken

2.3 Briefbausteine

Wir verdanken Ihre Anschrift der Firma XY.

... hat uns an Sie verwiesen.

Sie wurden uns als einer der führenden Hersteller von ... genannt.

Wir haben Ihre Anzeige in ... gelesen.

Wir suchen / interessieren uns für / benötigen ständig / haben laufend
Bedarf an ...

Wir besuchten letzte Woche Ihren Stand auf der Hannover-Messe und wären
grundsätzlich daran interessiert, Ihre Produkte auf dem deutschen Markt
einzuführen.

Bitte nennen Sie uns Ihre Verkaufsbedingungen und Lieferzeiten für ... / machen Sie uns ein Angebot für ...

Bitte kalkulieren Sie Ihr Angebot auf der Basis CIF Hamburg.

Für ausführliche Informationen / die Zusendung Ihres neuesten Katalogs wären wir dankbar.

Als Referenzen können wir Ihnen die folgenden Firmen nennen: ...

Wenn Sie sich über uns erkundigen wollen, wenden Sie sich bitte an ...

... ist gerne bereit, Ihnen jede gewünschte Auskunft über uns zu erteilen.

Wenn Ihre Preise konkurrenzfähig sind / die Qualität Ihrer Erzeugnisse unseren Erwartungen entspricht / die Ware unseren Anforderungen genügt, ...

... wären wir bereit, Ihnen einen Probeauftrag zu erteilen.

... können Sie mit laufenden Aufträgen rechnen.

... dürften sich hier gute Verkaufsmöglichkeiten ergeben.

2.4 Übungen

2.4.1 Briefreihe II, a (→ 3.2.1)

Arturo Klein, Inhaber der Firma Klein y Cía, Ltda. in San José (Costa Rica), die Elektrogeräte importiert und vertreibt, schreibt am 12. 3. an Bauer Electronic GmbH, Ostracher Straße 15, 70567 Stuttgart. Er bezieht sich auf die Industrieausstellung in Caracas, die er Anfang März besuchte, und bittet um ein ausführliches Angebot auf der Basis CIF Puerto Limón über 50 Stereo-Radiorecorder SRR, 50 Auto-CD-Spieler CDP und 50 Uhren-Radiorecorder CR. Klein fragt auch an, ob Bauer ihm je 250 Prospekte in spanischer Sprache zusenden könnte, da er diese an seine Kunden verteilen möchte.

Als Referenz nennt er den Banco Mercantil in San José und die ELAG in Frankfurt, mit der er seit längerer Zeit in Geschäftsverbindung steht. Die Verkaufsaussichten in Costa Rica für hochwertige Erzeugnisse der Unterhaltungselektronik beurteilt Klein sehr positiv.

2.4.2 Ribot & Co. Ltd., Montreal, an Hans Merk KG, Fürth

Ribot & Co. Ltd. interessiert sich für deutsche Spielwaren und wendet sich an die Deutsch-Kanadische Industrie- und Handelskammer in Montreal mit der Bitte um Firmennachweis.

Diese nennt u. a. die Hans Merk KG. Ribot fordert daraufhin von dieser Firma einen Katalog an und bittet um Angabe der äußersten Exportpreise sowie der Lieferzeiten und der Verkaufsbedingungen.

2.4.3 Laszlo Kovacs, Budapest, an Schmitz GmbH, Düsseldorf

Laszlo Kovacs handelt mit Kraftfahrzeugzubehör. In einer deutschen Fachzeitschrift liest er, dass die Firma Schmitz eine neuartige elektronische Diebstahlsicherung für Autos entwickelt hat. Er schreibt an diese Firma und bittet um Produktinformationen, da er zur Durchführung eines Markttests einen Probeauftrag erteilen möchte. Wenn der Markttest positiv ausfällt, wäre er daran interessiert, das Sicherungssystem als Alleinimporteur für Ungarn laufend von Schmitz zu beziehen.

„Wir interessieren uns für Feuer-
löscher zur baldmöglichsten
Lieferung ...“

3 Angebot

3.1 Einleitung

Eine Firma, die eine Anfrage erhält, sendet dem Interessenten die erbetenen Informationen und Unterlagen und beantwortet seine Fragen. Wenn der Anfragende ein Angebot wünscht, wird dieses ausgearbeitet und ihm zugeleitet. Angebote, denen eine Anfrage vorausgeht, bezeichnet man als verlangte Angebote, im Unterschied zu unverlangten Angeboten, die Firmen von sich aus abgeben, ohne dass eine Anfrage vorliegt. Unverbindliche (freibleibende) Angebote enthalten eine Klausel, durch die der Anbietende seine Bindung an das Angebot ausschließt, z. B. *solange Vorrat reicht, Preisänderungen vorbehalten, ohne Verbindlichkeit.* Unverbindliche Angebote – wie auch Werbebriefe und Websites – sind keine Vertragsangebote, deren Annahme zum Abschluss eines Vertrages führt, sondern stellen lediglich eine Aufforderung an potentielle Käufer dar, ihrerseits Vertragsangebote abzugeben.

Werbebriefe haben den Zweck, das Interesse des Empfängers für ein bestimmtes Produkt zu wecken. Sie können Einzel- oder Serienbriefe (bzw. -faxe) sein.

„... möchten wir Ihnen unsere neue Baureihe von Montagerobotern vorstellen."

3.2 Musterbriefe

3.2.1 Briefreihe II, b (← 2.4.1, → 4.4.1)

Herrn
Arturo Klein
Klein y Cía Ltda.
Apartado 3767
San José
Costa Rica

30.03.20--

Sehr geehrter Herr Klein,

wir danken Ihnen für Ihre Anfrage vom 12.03. und bieten Ihnen die von Ihnen genannten Geräte wie folgt an:

50 Stereo-Radiorecorder SRR	Preis pro Gerät	… US $
50 Auto-CD-Spieler CDP	Preis pro Gerät	… US $
50 Uhren-Radiorecorder CR	Preis pro Gerät	… US $

Die Preise verstehen sich FOB Hamburg einschließlich seemäßige Verpackung. Die Seefracht Hamburg–Puerto Limón und die Versicherungsspesen belaufen sich auf US $…, wobei wir uns das Recht vorbehalten, die am Tag der Lieferung gültigen Sätze zu berechnen. Unsere Zahlungsbedingungen lauten: Eröffnung eines unwiderruflichen und von der Deutschen Bank in Stuttgart bestätigten Dokumentenakkreditivs zu unsern Gunsten. Die Lieferung kann innerhalb 14 Tagen nach Eingang der Akkreditivbestätigung erfolgen.

Die gewünschten Prospekte in spanischer Sprache haben wir heute als Postpaket an Sie abgesandt.

Wir freuen uns, dass Sie die Absatzmöglichkeiten für unsere Erzeugnisse in Costa Rica günstig beurteilen, und hoffen, Ihre Bestellung bald zu erhalten.

Mit freundlichen Grüßen
Bauer Electronic GmbH
ppa. Schmitt i. A. Lauer

3.2.2   Briefreihe IV, a (→ 4.4.2)

Herrn Direktor
Louis Lefèvre
Dupont & Cie. S. A.
avenue du Général Leclerc

F-93500 Pantin

12. September 20--

Angebot

Sehr geehrter Herr Lefèvre,

über Ihren kürzlichen Besuch in unserem Werk haben wir uns sehr gefreut.
Gerne unterbreiten wir Ihnen das gewünschte Angebot:

1 CNC Fräs- und Bohrmaschine, Typ FB 312,
zum Preis von EUR ... ab Werk.

Für Verpackung berechnen wir EUR ... extra. Die Lieferzeit beträgt 4 Monate.
Zahlung innerhalb 30 Tagen nach Rechnungsdatum ohne Abzug. Die Transportversicherung von Haus zu Haus und die Aufstellungsversicherung wird durch
uns gedeckt. Nach unseren Garantiebedingungen werden alle innerhalb eines
Jahres nach Lieferung auftretenden Mängel, die auf Material- oder Arbeitsfehler
zurückzuführen sind, kostenlos beseitigt. Im Übrigen gelten die „Bedingungen
für die Lieferung von Werkzeugmaschinen", von denen wir ein Exemplar beifügen.
An dieses Angebot halten wir uns bis 12. Oktober gebunden.

Wie bereits mit Ihnen besprochen, stellen wir Ihnen für die Aufstellung und
Inbetriebnahme der Maschine gerne unsere Fachleute zur Verfügung.

Mit freundlichen Grüßen
Maschinenfabrik Neumann AG
ppa. Möller ppa. Schneider

Anlage

3.2.3 Exportangebot (Spielwaren)

Gebr. Märklin & Cie GmbH Göppingen

Telefon (07161) 608–1
Telex 727784
Telefax (07161) 69820
Telegramm: Märklin

Gebr. Märklin & Cie GmbH 73037 Göppingen   Holzheimer Straße 8

Representaciones I. R.
Apartado 56466
Bogotá

Kolumbien

Ihre Zeichen	Ihre Nachricht vom	Unser Zeichen	Durchwahl	Datum
		Ba	608-236	07. 07. 20--

Sehr geehrte Damen und Herren,

besten Dank für Ihr Schreiben vom 30.06. und Ihr Interesse, unsere Produkte auf dem
kolumbianischen Markt einzuführen. Gerne unterbreiten wir Ihnen das nachstehende Angebot:
   Um Ihnen die Einführung unserer Produkte in Kolumbien zu erleichtern, gewähren wir
Ihnen auf die Preise unserer beiliegenden Exportpreisliste einen 10 %igen Handelsrabatt.
Die Preise verstehen sich frei deutsche Grenze, einschließlich Verpackung.
   Zahlungsbedingungen: gegen Vorauskasse mit 5 % Skonto.
   Im Allgemeinen kann die Lieferung innerhalb 1 bis 2 Wochen nach Erhalt der Aufträge
erfolgen.
   Mit getrennter Post senden wir Ihnen je ein Exemplar unserer neuesten Kataloge der Spur-
weiten 1, HO und mini-club, die Ihnen einen Überblick über unser komplettes Programmangebot
geben. Sollten Sie nach Durchsicht dieser Unterlagen weitere Fragen haben, stehen wir Ihnen
selbstverständlich jederzeit gerne zur Verfügung.
   Wir würden uns freuen, wenn wir aufgrund unseres Angebots einen Auftrag von Ihnen erhielten und dies der Beginn einer für beide Seiten zufrieden stellenden Geschäftsbeziehung wäre.

Mit freundlichen Grüßen
Gebr. Märklin & Cie GmbH

Anlage

130 690 Deutsche Bank AG	237 Kreissparkasse	Amtsgericht	Aufsichtsratsvorsitzender:
Göppingen BLZ 610 70 78	Göppingen BLZ 610 500 00	Göppingen HRB 4	Dr. Klaus Anschütz, Mannheim
2 028 153 Dresdner Bank AG	610 074 50 Landeszentralbank		
Göppingen BLZ 610 800 06	Göppingen BLZ 610 000 00	Sitz der Gesellschaft:	Geschäftsführer:
1250 Gebr. Martin Bank	1141-700 Postbank Stuttgart	Göppingen	Dr. Wolfgang Huch
Göppingen BLZ 610 300 00	BLZ 600 100 70		

3.2.4 Angebot an eine Firma in Bombay

Sehr geehrter Herr Prasad,

wir danken Ihnen für Ihr Schreiben vom 10. 02. und freuen uns, dass Sie sich für unsere Overhead-Projektoren interessieren.

Als Drucksachen senden wir Ihnen Prospektmaterial über alle Geräte, die wir zur Zeit liefern. Die Prospekte enthalten Abbildungen und Beschreibungen sowie die Maße und Gewichte der einzelnen Geräte.

Die Preise finden Sie in der beiliegenden Exportpreisliste. Sie verstehen sich FOB deutscher Hafen oder Flughafen, einschließlich Verpackung. Preisänderungen behalten wir uns vor.

Unsere Zahlungsbedingungen lauten: Bei Erstaufträgen Eröffnung eines unwiderruflichen Akkreditivs zu unseren Gunsten, zahlbar bei der Dresdner Bank in Braunschweig; bei Nachbestellungen und Angabe von Referenzen Kasse gegen Dokumente durch eine Bank in Bombay.

Die Lieferzeit für unsere Geräte beträgt derzeit 6–8 Wochen. Mit Auskünften über Verschiffungsmöglichkeiten, Frachtsätze usw. sowie mit Proforma-Rechnungen zur Einholung von Importlizenzen stehen wir Ihnen auf Wunsch gerne zur Verfügung.

Wir sind seit 1950 auf die Herstellung von Projektoren spezialisiert. Unsere Geräte haben sich aufgrund ihrer Präzision und Zuverlässigkeit im In- und Ausland einen guten Namen gemacht.

Wir würden uns freuen, bald einen Probeauftrag von Ihnen zu erhalten, und versprechen prompte und sorgfältige Ausführung.

Mit freundlichen Grüßen

Krüger Projektionstechnik AG

3.2.5 Elektronisches Angebot

FAG Sales Europe GmbH

FAG

Ein Unternehmen der FAG Kugelfischer-Gruppe

Anschrift: Georg-Schäfer-Straße 30
97421 Schweinfurt
Telefon: (09721) VErmittlung 91-0
Telefax: (09721) 913435
Telexsammelnummer: 67345-0 fag-d
USt.IdNr.: DE 812 323 362
ILN-Nr.: 40 1280100000 0
http://www.fag.de

FAG Sales Europe GmbH
Postfach 1260 · 97419 Schweinfurt

Kammbach AG		Seite: 1
Bödelistraße 110		
CH-3800 Interlaken	Angebot Nr.	0032043634
	Datum	19. 04. 20--

Datum / Ihre Zeichen / Anfrage	Unsere Zeichen / Tel.
19. 04. 20-- / EB / k	OHZ-D/KL/3315
	Kundennummer
	0000013362

Lieferbedingung: frei Haus, Verpackung frei

Wir danken für Ihre Anfrage und bieten freibleibend an:

Pos. Nr.	Bezeichnung des Artikels Menge ME	Preis/Einheit	Sachnummer Nettowert in EUR
000010	22205E		60518875
	1 ST ...	pro 1 ST	... EUR
	Wunschtermin: 20. 04. 20--		Zusagetermin: 22. 04. 20--

SUMME (Positionen)	... EUR
END-BETRAG	**... EUR**

In unserem Zusagetermin sind die Prozesszeiten in unserem Versand und die Transportzeit nicht berücksichtigt.

Dieses Angebot wurde EDV-maschinell erstellt.
Es gilt ohne Unterschrift.

Wir liefern unter Zugrundelegung unserer bekannten Lieferbedingungen und unter Eigentumsvorbehalt.

Wir würden uns freuen, den Auftrag zu erhalten.

FAG Sales Europe GmbH

FAG Sales Europe GmbH
Geschäftsführer: Dr. Giancarlo Galli, Edgar Binnemann
Sitz und Registergericht: Schweinfurt, HRB 3155

Konto-Nr. 8 418 485 00 Deutsche Bank AG, Schweinfurt
BLZ 790 700 16 / SWIFT: DEUTDEMM790
Konto-Nr. 400 895 900 Dresdner Bank AG, Schweinfurt
BLZ 793 800 51 / SWIFT: DRESDEFF793

3.2.6   Individuell gestalteter Werbebrief

DÜRKOPP ADLER AG

Dürkopp Adler
Aktiengesellschaft
Postfach 17 03 51
D-33 703 Bielefeld
Telefon 05 21/5 56-01
Telex 9 32 400-0 da d
Telefax 05 21/5 56-24 35

Potsdamer Straße 190
D-33719 Bielefeld

Dürkopp Adler AG · Postfach 17 03 51 · D-33703 Bielefeld

Herrn Direktor
Sven Landgren
Soderberg AB
Kungsgatan
S-41107 Göteborg

Ihre Zeichen / Ihre Nachricht vom

Unser Zeichen

Telefon-Durchwahl

Telefax

Datum 12. Juni 20--

Sehr geehrter Herr Landgren,

wir haben uns sehr gefreut, von unseren gemeinsamen Geschäftsfreunden, Selkog AB in Stockholm, zu erfahren, dass Sie sich für unser Unternehmen und die Produkte unseres Bereichs Nähtechnik interessieren.

Wissenswertes über unsere Firmengeschichte erfahren Sie aus dem Internet unter http://www.duerkopp-adler.com.

Als Anbieter hochwertiger Spezialprodukte haben wir eine international führende Stellung in den Schwerpunktbranchen Herren- und Damenoberbekleidung, Hemden und Jeansfertigung sowie der Automobilzuliefer- und Polstermöbelindustrie. Dürkopp-Adler verfügt über ein weltweites Vertriebs- und Servicenetz. Ziel des Unternehmens ist es, die Automatisierung von Fertigungsabläufen zu perfektionieren und gleichzeitig ein Höchstmaß an flexiblen Anwendungsmöglichkeiten zu gewährleisten. Intensive Anwendungsberatung und leistungsfähiger Service garantieren unseren Kunden die ständige Einsatzbereitschaft unserer Produkte.

Wir legen verschiedene Prospekte über unser Maschinenprogramm bei. Bitte teilen Sie uns mit, für welche Fertigungsvorgänge Sie Maschinen benötigen, damit wir Sie umfassend beraten und gemeinsam mit Ihnen optimale Problemlösungen erarbeiten können.

Mit freundlichen Grüßen

DÜRKOPP ADLER AKTIENGESELLSCHAFT

Vorsitzender des Aufsichtsrats:
Dr.-Ing. Peter-Jürgen Kreher
Vorstand:
Dr. Helmut Forberich (Vorsitzender)
Dipl.-Kfm. Franz Margraf
Registergericht Bielefeld Nr. HRB 7042
UST.-Id.-Nr. DE 811161740
Sitz der Gesellschaft: Bielefeld

3.3 Briefbausteine

Vielen Dank für Ihr Schreiben vom ... Wir freuen uns über Ihr Interesse an unseren Erzeugnissen und senden Ihnen gesondert / mit getrennter Post unseren neuesten Katalog.

Wir danken Ihnen für Ihre Anfrage vom ... und bieten Ihnen an: ... / unterbreiten Ihnen gerne folgendes Angebot: ...

Unsere Preise verstehen sich FOB Hamburg, einschließlich Verpackung.

Die Preise gelten ab Werk.

Bei Zahlung innerhalb 14 Tagen nach Rechnungsdatum erhalten Sie 2 % Skonto.

Der Kaufpreis ist ohne Abzug binnen 30 Tagen nach Empfang der Rechnung fällig.

Die Lieferzeit beträgt 4 Wochen.

Die Lieferung kann voraussichtlich Ende des nächsten Monats erfolgen.

Wir halten Ihnen unser Angebot bis ... offen.

Das Angebot ist unverbindlich / freibleibend.

Zwischenverkauf vorbehalten.

Wir würden uns freuen, Ihren Auftrag zu erhalten, und versprechen sorgfältige und pünktliche Lieferung.

Wir freuen uns auf Ihren Auftrag und sind sicher, dass Sie mit unserer Lieferung zufrieden sein werden.

Lieferungsbedingungen

Incoterms 1990:

EXW	Ex works / Ab Werk
FCA	Free carrier / Frei Frachtführer
FAS	Free alongside ship / Frei Längsseite Seeschiff
FOB	Free on board / Frei an Bord
CFR	Cost and freight / Kosten und Fracht
CIF	Cost, insurance and freight / Kosten, Versicherung und Fracht
CPT	Carriage paid to / Frachtfrei
CIP	Carriage and insurance paid to / Frachtfrei versichert
DAF	Delivered at frontier / Geliefert Grenze
DES	Delivered ex ship / Geliefert ab Schiff
DEQ	Delivered ex quay (duty paid) / Geliefert ab Kai (verzollt)
DDU	Delivered duty unpaid / Geliefert unverzollt
DDP	Delivered duty paid / Geliefert verzollt

Zahlungsbedingungen

- Vorauszahlung / Vorauskasse
- Barzahlung bei Auftragserteilung
- $\frac{1}{3}$ bei Auftragserteilung, $\frac{1}{3}$ bei Lieferung, $\frac{1}{3}$ innerhalb 30 Tagen nach Lieferung
- Zahlung bei Rechnungserhalt
- Zahlung bei Erhalt der Ware gegen Nachnahme
- 60 Tage Ziel / 30 Tage netto / Zahlung innerhalb 30 Tagen nach Rechnungsdatum
- Zahlung innerhalb 14 Tagen abzüglich 2 % Skonto oder innerhalb 30 Tagen netto
- Zahlung durch Akzept nur nach besonderer Vereinbarung
- Kasse gegen Dokumente
- Dokumente gegen Akzept
- Übergabe der Versanddokumente erfolgt gegen Bankakzept
- Zahlung durch (un)widerrufliches und (un)bestätigtes Dokumentenakkreditiv

Die einzelnen Klauseln der Incoterms sowie die Zahlungsformen *Kasse gegen Dokumente, Nachnahme, Dokumente gegen Akzept* und *Dokumentenakkreditiv* werden im Glossar kurz erläutert.

3.4　　**Übungen**

3.4.1　**Briefreihe I, c (← 2.2.1, → 4.2.1)**

Lidia Martinelli, die Verkaufsleiterin von Cora S.p.A., unterbreitet
Hartmann oHG am 14. 9. ein Angebot folgenden Inhalts:

Wollstoffe, das Stück zu ca. 50 m, Breite 145 cm

Nr. 64352	Gewicht je lfd. m	450 g	Preis pro m	EUR …
Nr. 62667	Gewicht je lfd. m	420 g	Preis pro m	EUR …
Nr. 60322	Gewicht je lfd. m	390 g	Preis pro m	EUR …
Nr. 56144	Gewicht je lfd. m	375 g	Preis pro m	EUR …
Nr. 53211	Gewicht je lfd. m	350 g	Preis pro m	EUR …

Muster dieser Stoffe in verschiedenen Farben erhält Hartmann mit gleicher
Post. Die Preise verstehen sich geliefert Grenze einschließlich Verpackung.
Lieferzeit: 2–3 Monate. Lieferung mit LKW durch den Spediteur von Cora.
Zahlung: innerhalb 10 Tagen nach Erhalt der Ware mit 3 1/2 % Skonto, innerhalb
30 Tagen mit 2 % oder innerhalb 60 Tagen netto. Frau Martinelli weist darauf
hin, dass die genannten Preise sehr scharf kalkuliert sind.

3.4.2　**Briefreihe III, a (→ 4.2.2)**

Am 15. 11. 20-- unterbreitet die Kaffee-Exportfirma Massoud & Co., Ltd. in
Mombasa (Kenia) ihren deutschen Geschäftsfreunden, Holtmann AG in Bremen,
das folgende Angebot:

Stocklot	Nr. 5330,	50 Sack Kenia AA	…	je 50 kg
Stocklot	Nr. 5331,	80 Sack Kenia PB	…	je 50 kg
Stocklot	Nr. 5332,	120 Sack Kenia TT	…	je 50 kg
Stocklot	Nr. 5333,	50 Sack Kenia B	…	je 50 kg
Stocklot	Nr. 5334,	100 Sack Kenia A	…	je 50 kg
Stocklot	Nr. 5335,	150 Sack Kenia PB	…	je 50 kg

Die Preise verstehen sich C&F Bremen. Verladung im Dezember. Zahlung:
Kasse gegen Dokumente bei Ankunft des Dampfers.

Holtmann AG soll angeben, an welchen Stocklots sie interessiert ist;
Massoud wird ihr dann sofort Muster per Luftpost zusenden.

3.4.3 Perreira Ca. Lda., Lissabon, an Hanseatische Import-GmbH, Hamburg

Perreira hat von der Hanseatischen Import-GmbH eine Anfrage wegen Ölsardinen erhalten und unterbreitet folgendes Angebot:

Portugiesische Sardinen in reinem Olivenöl, ohne Haut und Gräten, in Dosen mit einem Nettoinhalt von 125 g, zum Preis von … per 1 000 Dosen CIF Hamburg. Zahlung durch unwiderrufliches Akkreditiv. Bei weiteren Geschäften ist Perreira bereit, günstigere Zahlungsbedingungen zu gewähren. Lieferzeit: 1–3 Wochen, je nach Größe des Auftrags. Erfüllungsort und Gerichtsstand ist Lissabon. Das Angebot ist 4 Wochen gültig.

3.4.4 Alukov, Prag, an Gaßner & Söhne, Regensburg

Die Firma Alukov stellt Alu-Leitern her, die sie auch in der Bundesrepublik Deutschland verkaufen möchte – die Industrie- und Handelskammer Regensburg nennt ihr auf Anfrage Gaßner & Söhne oHG als potentiellen Geschäftspartner in der Bundesrepublik – Alukov unterbreitet dieser Firma ein Angebot und fügt Prospekte in deutscher Sprache sowie eine Exportpreisliste bei – auf die Listenpreise, die ab Werk kalkuliert sind, gewährt sie einen Einführungsrabatt von 10 % – das genaue Lieferdatum wird festgelegt, sobald die Bestellmenge bekannt ist – Zahlung: 30 Tage netto – abschließend Hinweis, dass die Leitern den deutschen Sicherheitsvorschriften sowie denen der EU entsprechen – Alukov hofft, mit Gaßner ins Geschäft zu kommen, und verspricht prompte und sorgfältige Erledigung aller Aufträge.

Entwerfen Sie nach diesen Stichwortangaben das Angebot der tschechischen Firma.

3.4.5 Werbeschreiben

Verfassen Sie ein Werbeschreiben für ein Produkt Ihres Landes, das auf dem deutschen Markt eingeführt werden soll. Das Schreiben kann je nach Art des Produkts an Endverbraucher, industrielle Verwender oder Händler (Importeure) gerichtet werden.

4 Bestellung (Auftrag)

4.1 Einleitung

Durch die Bestellung weist der Besteller die Lieferfirma an, eine bestimmte Ware zu bestimmten Bedingungen zu liefern, d. h. er erteilt ihr einen Auftrag zur Lieferung der Ware. Rechtlich gesehen ist die Bestellung entweder die Annahme eines vom Verkäufer gemachten Angebots durch den Käufer oder ein Vertragsangebot bzw. Gegenangebot des Käufers, das der Verkäufer annehmen oder ablehnen kann.

Manchmal sieht sich der Besteller durch besondere Umstände gezwungen, seine Bestellung zu widerrufen.

„Wir sind mit Aufträgen überhäuft."

4.2 Musterbriefe
4.2.1 Briefreihe I, d (← 3.4.1, → 5.4.1)

Hartmann oHG vergleicht das Angebot von Cora S.p.A. mit den anderen aus Italien eingegangenen Angeboten und erteilt dann dieser Firma den folgenden Auftrag:

Cora S.p.A.
Frau Lidia Martinelli
Piazza Vecchia

I-13051 Biella

23. 9. 20--

Bestellung Nr. 83/3421

Sehr geehrte Frau Martinelli,

wir danken Ihnen für Ihr Angebot vom 14. 9. und bestellen aufgrund der uns vorliegenden Muster:

15 Stück	Nr.	64352	sandbeige	Preis je m	EUR ...
15 Stück	Nr.	62667	bordeauxrot	Preis je m	EUR ...
10 Stück	Nr.	56144	gletscherblau	Preis je m	EUR ...
10 Stück	Nr.	53211	resedagrün	Preis je m	EUR ...

Lieferzeit: 2–3 Monate
Zahlungsbedingungen: 10 Tage 3 $\frac{1}{2}$ %, 30 Tage 2 % oder 60 Tage netto.

Die Ware ist an unsere Spedition, Gebr. Westenrieder, Landsberger Straße 45, 80339 München, zu liefern.

Mit freundlichen Grüßen

Hartmann oHG

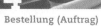

4.2.2 Briefreihe III, b (← 3.4.2, → 5.4.2)

Aufgrund des Angebots von Massoud & Co., Ltd. fordert Holtmann AG verschiedene Muster an und erteilt nach Eingang und Prüfung der Muster den folgenden Auftrag per E-Mail:

E-Mail	☒

Mail von: Holtmann AG	an: Massoud & Co., Ltd.
Betreff: Auftrag	Anhang:

Wir danken für Ihr Angebot vom 15. 11. mit Mustern und kontrahieren:

Nr.	5330	50 Sack Kenia AA	...	je 50 kg
Nr.	5333	50 Sack Kenia B	...	je 50 kg
Nr.	5334	100 Sack Kenia A	...	je 50 kg

C&F Bremen
Verladung im Dezember
Kasse gegen Dokumente bei Ankunft des Dampfers.

Holtmann & Co.

4.2.3   Briefreihe V, a (→ 5.4.3)

Günther Friedrich KG, ein Einrichtungshaus in Frankfurt/Main, sendet folgende Bestellung an die Möbelfabrik Peter Petersen A/S, Viborg (Dänemark), deren Erzeugnisse schon seit längerer Zeit zu ihrem Sortiment gehören:

Günther Friedrich KG
Frankfurt / Main

Peter Petersen A/S
Thorsgade 35

DK-8800 Viborg

Comm.:	A. Lehmann	Bestellung Nr. 4679
Zahlung:	30 Tage netto	Frankfurt/Main, den 10. 5. 20--
Lieferung:	so bald wie möglich	Mainzer Landstr. 112
Versandart:	mit der Bahn	

Menge	Gegenstand	Preis je Einheit	Gesamtpreis
2	Tische Nr. 234, Eiche geräuchert	...	...
8	Stühle Nr. 236, Eiche geräuchert, schwarze Ledersitze	...	...
			...

geliefert Grenze (Incoterms 1990),
einschließlich Verpackung

Günther Friedrich KG

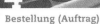

4.2.4   Probeauftrag

Sehr geehrter Herr Hosomi,

wir danken Ihnen für Ihr Schreiben vom 7. November und die uns zugesandten Muster.

Unter der Voraussetzung, dass Sie den Mustern entsprechende Qualität
liefern, erteilen wir Ihnen folgenden Probeauftrag:

30	Momme	3/4	4,0-4,5	mm	US $	...	US $	...
5	"	3/4	4,5-5,0	"	"	...	"	...
15	"	3/4	5,0-5,5	"	"	...	"	...
15	"	3/4	5,5-6,0	"	"	...	"	...
15	"	3/4	6,0-6,5	"	"	...	"	...
15	"	3/4	7,0-7,5	"	"	...	"	...
							US $	...

Die Sendung soll so bald wie möglich per Luftpost geliefert werden. Die Zahlung
erfolgt sofort nach Eingang Ihrer Rechnung durch Banküberweisung.

Wir hoffen, dass wir mit Ihnen zu einer angenehmen Geschäftsverbindung
kommen werden. Wenn Ihre erste Probelieferung zu unserer Zufriedenheit ausfällt, können Sie mit größeren Nachbestellungen rechnen.

Mit freundlichen Grüßen
HAMMER & SÖHNE GMBH & CO.

4.2.5   Maschinenauftrag per Fax

Von: Werkzeug- und Formenbau
Anton Weber, Basel
Fax: 0 61-25 69

An: Maschinenfabrik Geppert AG
Herrn Stefan Schober
Aschaffenburg
Fax: 0 60 21-7 98 99

Datum: 03. 02. --
Gesamtzahl der Seiten: 1

Betreff: Auftrag

Grüezi, Herr Schober,

das ging aber fix! Wir haben Ihr Angebot gestern bekommen und auch gleich durchgesehen. Um keine Zeit zu verlieren, schicken wir Ihnen unseren Auftrag per Fax:

1 Stck. Einschneidefräser-Schleifmaschine SM300, 200 V, 50 Hz, mit Antriebsmotor 0,55 KW, 2800 / min. mit Normalzubehör und Projektionsmessgerät, im Gesamtwert von € ...

Preisstellung: frei Grenze, einschließlich Verpackung

Zahlung: innerhalb 30 Tagen nach Rechnungsdatum

Lieferung: so bald wie möglich

Ich darf Sie bitten, uns den Auftrag kurz zu bestätigen. Die Unterlagen über Gravier- und Kopierfräsmaschinen haben wir übrigens inzwischen erhalten. Besten Dank!

Viele Grüße

Hans Stierlimann

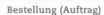

4.2.6 Ablehnung eines Angebotes

Sehr geehrter Herr van Straten,

wir danken Ihnen für Ihr Angebot vom 12. 8. Da wir z. Z. noch größere Lager-
bestände haben, können wir leider davon keinen Gebrauch machen. Sobald
wir wieder Bedarf an Gemüsekonserven haben, werden wir Ihnen dies mitteilen.

Mit freundlichen Grüßen

4.2.7 Gegenangebot des Interessenten

Sehr geehrte Frau McKinley,

besten Dank für Ihr Angebot und das uns überlassene Muster des Artikels 8831/44.

Mit der Qualität des Materials sind wir zufrieden, nur der Preis scheint uns etwas
hoch zu sein. Von einem anderen Lieferanten in Schottland wurde uns eine
ähnliche Qualität zu ... / m angeboten. Wenn Sie uns den gleichen Preis machen
können, sind wir gerne bereit, 30 Stück zu bestellen.

Es würde uns freuen, wenn es Ihnen möglich wäre, unseren Vorschlag anzunehmen.

Mit freundlichen Grüßen

4.2.8   Teilweiser Widerruf einer Bestellung

Von:
Hermann & Söhne KG, Mannheim
Fax: 09 21-63 34 66

An:
Hasan A. Emer, Izmir
Fax: 00 90-2 32-5 15 67

Datum: 23. 09. 20--
Seiten: 1

Betreff: Bestellung Nr. 62204 vom 18. 09.

Sehr geehrter Herr Emer,

ich beziehe mich auf die obige Bestellung. Inzwischen habe ich festgestellt, dass die Waren mit den Bestellnummern 1161 und 1175 versehentlich zweimal bestellt wurden. Sie sind bereits auf Bestellung Nr. 61804 aufgeführt, die ich Ihnen letzte Woche sandte. Bitte entschuldigen Sie dieses Versehen. Diese beiden Positionen sind zu streichen. Lieferung der übrigen Positionen wie vereinbart.

Mit freundlichen Grüßen
Josef Hermann

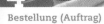

4.3 Briefbausteine

Ich danke Ihnen für Ihr Angebot und bestelle ...

Aufgrund Ihres Angebots bestelle ich folgende Artikel: ...

Wir haben die uns zugesandten Muster geprüft und bestellen zur sofortigen Lieferung entsprechend Ihrem Angebot vom ...

Wir bitten um prompte Bestätigung und Angabe des frühesten Liefertermins.

Sollten Sie die Ware nicht bis ... liefern können, bitte ich um sofortige Benachrichtigung.

Sorgfältige Verpackung ist unbedingt erforderlich.

Die Versicherung wird von uns gedeckt / ... ist von Haus zu Haus abzuschließen.

Stornierung

Unerwartet eingetretene Umstände veranlassen uns heute, Sie zu bitten, unseren Auftrag Nr. ... zu stornieren.

Infolge unvorhergesehener Umstände sind wir leider gezwungen, unseren Auftrag vom ... zu widerrufen.

Da unser Kunde uns soeben mitgeteilt hat, dass die Maschine nicht mehr benötigt wird, bleibt uns keine andere Wahl, als unsere Bestellung zu widerrufen.

Wir hoffen, Sie bald durch Erteilung eines anderen Auftrags für die Ihnen entstandenen Unannehmlichkeiten entschädigen zu können.

4.4 Übungen

4.4.1 Briefreihe II, c (← 3.2.1, → 5.2.1)

Arturo Klein bestellt am 18. 4. die im Angebot der Bauer Electronic GmbH aufgeführten Geräte zu den genannten Preisen und Bedingungen. Er bittet Bauer, auf sorgfältige Verpackung zu achten, da die Sendung während der langen Seereise und auch noch nach Ankunft im Bestimmungshafen erheblichen Belastungen ausgesetzt ist. Die Packstücke sind wie folgt zu beschriften:

KCL
I – ...
San José via Puerto Limón
Costa Rica

Sobald Klein die Auftragsbestätigung mit den endgültigen CIF-Spesen erhält, wird er seiner Bank den Auftrag zur Eröffnung des Akkreditivs erteilen.

4.4.2 Briefreihe IV, b (← 3.2.2, → 5.2.2)

Nachdem Louis Lefèvre von Dupont & Cie. S.A. das Angebot der Maschinenfabrik Neumann AG geprüft hat, erteilt er am 20. 9. namens seiner Firma den Auftrag auf Lieferung der Maschine und bittet um Mitteilung, sobald diese versandbereit ist.

4.4.3 Briefreihe VI, a (→ 5.2.3)

The German Bookstore, Inc., eine Buchhandlung in Tokio, erteilt am 24. 1. dem Max Hueber Verlag in 85737 Ismaning, von dem sie schon wiederholt Bücher bezogen hat, folgenden Auftrag:

Nr.	Anzahl	Autor und Titel	Einzelpreis	Gesamtpreis
1371	600	Aufderstraße, Hartmut u. a. Themen 1	...	...
1372	400	Aufderstraße, Hartmut u. a. Themen 2	...	...
1373	300	Aufderstraße, Hartmut u. a. Themen 3	...	...

Lieferungs- und Zahlungsbedingungen wie üblich. Da es sich um Lehrbücher handelt, die die Universität Tokio dringend benötigt, bittet die Buchhandlung den Verlag, die bestellten Bücher so bald wie möglich per Luftfracht zu versenden.

4.4.4 Rosner GmbH, München, an Wehrli AG, Winterthur

Anton Richter von Rosner GmbH bestätigt sein Telefongespräch mit Herrn Hugler, dem Verkaufsleiter von Wehrli, in dem er diesen bat, den Auftrag Nr. A317-25 zu streichen. Die mit diesem Auftrag bestellten Schaltungen waren für ein Exportgeschäft bestimmt, das in letzter Minute geplatzt ist. Richter entschuldigt sich für die Unannehmlichkeiten, die er der Schweizer Firma bereiten muss, und hofft, ihr anstelle des entgangenen Auftrags bald einen neuen erteilen zu können.

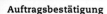

5 Auftragsbestätigung

5.1 Einleitung

Die Auftragsbestätigung ist entweder die förmliche Annahme einer Bestellung, die ein Vertragsangebot oder Gegenangebot des Käufers darstellt, oder – falls der Kaufvertrag bereits durch die Bestellung geschlossen wurde – die Bestätigung des Vertragsabschlusses. Sie kann mit der Versandanzeige und/oder der Rechnung kombiniert werden.

Wenn sich der Lieferant nicht in der Lage sieht, eine Bestellung, bei der es sich um ein Vertragsangebot des Kunden handelt, anzunehmen (z. B. weil er die bestellte Ware nicht liefern kann oder mit den vom Besteller genannten Bedingungen nicht einverstanden ist), lehnt er entweder die Bestellung ab oder macht ein Gegenangebot, indem er z. B. eine ähnliche Ware anbietet oder andere Bedingungen vorschlägt. Der Kunde muss dann entscheiden, ob er das Gegenangebot des Lieferanten annehmen möchte oder nicht.

5.2 Musterbriefe

5.2.1 Briefreihe II, d (← 4.4.1, → 8.2.1)

Herrn
Arturo Klein
Klein y Cía Ltda.
Apartado 3767

San José
Costa Rica

05. 05. 20--

Auftragsbestätigung

Sehr geehrter Herr Klein,
besten Dank für Ihre Bestellung vom 18. 04., die wir wie folgt notiert haben:

50 Stereo-Radio-recorder SRR	US $ … pro Gerät	US $ …
50 Auto-CD-Spieler CDP	US $ … pro Gerät	US $ …
50 Uhren-Radio-recorder CR	US $ … pro Gerät	US $ …
		US $ … FOB Hamburg
	+ Seefracht	US $ …
	+ Versicherung	US $ …
		US $ … CIF Puerto Limón

Zahlungsbedingungen: unwiderrufliches und bestätigtes Dokumentenakkreditiv.

Versand: innerhalb 14 Tagen nach Eingang der Akkreditivbestätigung.

Die Verpackung der Geräte erfolgt in Holzkisten, die mit bituminiertem Papier ausgeschlagen und mit Stahlbandumreifung versehen sind.

Sie können versichert sein, dass wir den uns erteilten Auftrag mit größter Sorgfalt ausführen werden.

Mit freundlichen Grüßen
Bauer Electronic GmbH
ppa. Schmitt i. A. Lauer

5.2.2   Briefreihe IV, c (← 4.4.2, → 10.4.1)

Herrn Direktor
Louis Lefèvre
Dupont & Cie. S.A.
avenue du Général Leclerc

F-93500 Pantin

25. September 20--

Auftragsbestätigung

Sehr geehrter Herr Lefèvre,

wir bestätigen Ihren Auftrag vom 20. August auf Lieferung einer CNC Fräs-
und Bohrmaschine vom Typ FB 312. Die Lieferung der Maschine erfolgt, wie vereinbart, innerhalb 4 Monaten.

Wir danken Ihnen für Ihr Vertrauen und versichern Ihnen, dass wir Ihre Anweisungen genauestens beachten werden. Sobald die Maschine versandbereit ist,
erhalten Sie von uns Nachricht.

Mit freundlichen Grüßen
Maschinenfabrik Neumann AG
ppa. Möller ppa. Schneider

5.2.3 Briefreihe VI, b (← 4.4.3, → 14.2.1)

VMH
VERLAGSAUSLIEFERUNG
Max Hueber

Max-Hueber-Straße 4 D-85737 Ismaning
Telefon   (089) 96 02-0
Telefax   (089) 96 02-358
Telex   523613 hueb d

Zahlungen nur an Max Hueber Verlag
Postbank München   36238-803   (BLZ 700 100 80)
Hypo Vereinsbank München   36102500   (BLZ 700 202 70)
Bankhaus Reuschel & Co München   103114401   (BLZ 700 303 00)

Max Hueber Verlagsauslieferung · Postfach 11 42 · D-85729 Ismaning

The German Bookstore, Inc.
114 Nakano-cho, Setagaya-ku

Tokyo
Japan

Auslieferung für:
Hueber Verlag

Rechnung und Auftragsbestätigung
(Order Acknowledgement and invoice)

Bitte bei Zahlung und Schriftwechsel angeben! (Please Quote)   (101/J)

Kunden-Nr.	22731	Sachbearbeiter	
Rechnungs-Nr.	01002958	Auftrags-Nr.	10026867
Rechnungs-Datum	03.02.20--		
Versandweg	Luftfracht		
BAG Einzugstag		Ihre BAG Nr.	Unsere BAG Nr.

Wir liefern im Auftrag und auf Rechnung der unten aufgeführten Verlage
nach deren Liefer- und Zahlungsbedingungen (veröffentlicht in den Katalogen)

Menge (Quantity)	ISBN (Art.-Nr) (Item No.)	Verlag/Verfasser/Kurztitel (Publisher/Author/Title)	Bestell (Order) -Zeichen (Ref. No)	Datum (Date of Order)	Preis EURO (Price)	Rabattsatz (Discount Rate)	Nettopreis in EURO (Net Value) einzeln (per Copy)	gesamt (Total)	MwSt. Satz
	3-19-	Max Hueber Verlag, USt-IdNr. DE130002447							
600	01371-3	Themen 1	Namuro 24.01.--		∴	∴	∴	∴	∴
400	01372-3	Themen 2	Namuro 24.01.--		∴	∴	∴	∴	∴
300	01373-X	Themen 3	Namuro 24.01.--		∴	∴	∴	∴	∴
2	2		1 Packstück(e)						

| Gesamt-Gewicht 0.410 | *="unverbindlicher empfohlener Preis" | Aufgliederung nach Mehrwertsteuer- sätzen | Teilbetr. ermäß. Satz in EURO | Teilbetr. voller Satz in EURO | Steuerl. Entgelt in EURO | Betrag MwSt. in EURO | Rechnungs-Betrag in EURO (Total Amount) |

59

5.2.4 Elektronische Auftragsbestätigung

FAG Sales Europe GmbH

Ein Unternehmen der FAG Kugelfischer-Gruppe

Anschrift: Georg-Schäfer-Straße 30
97421 Schweinfurt
Telefon: (0 97 21) Vermittlung 91-0
Telefax: (0 97 21) 91 34 35
Telexsammelnummer: 67345-0 fag-d
USt.IdNr.: DE 812 323 362
ILN-Nr.: 40 1280100000 0
http://www.fag.de

FAG Sales Europe GmbH
Postfach 1260 · 97419 Schweinfurt

Kammbach AG
Bödelistraße 110

CH-3800 Interlaken

Seite: 1

AUFTRAGSBESTÄTIGUNG
Nr.   0042655644

Datum   19. 04. 20--

Datum / Ihre Zeichen / Bestellung	Unsere Zeichen / Tel.
19. 04. 20--/EB/k	OHZ-D/KL/3315
	Kundennummer
	0000013362

Versandart: Frachtgut Spediteur
Lieferbedingung: frei Haus, Verpackung frei

Versandanschrift:
Kammbach AG
Bödelistraße 110
CH-3800 Interlaken

Pos. Nr.	Bezeichnung des Artikels Menge ME	Preis/Einheit	Sachnummer Nettowert in EUR
000010	22205E		60518875
	1 ST	... pro 1 ST	... EUR
	Wunschtermin: 20. 04. 20--		Zusagetermin: 22. 04. 20

SUMME (Positionen)   ... EUR
ENDBETRAG   **... EUR**

Zahlungsbedingung:
innerhalb 30 Tagen ohne Abzug

Diese Auftragsbestätigung wurde EDV-maschinell erstellt.
Sie gilt ohne Unterschrift.

Wir liefern unter Zugrundelegung unserer bekannten Lieferbedingungen, soweit diese den
mit Ihnen getroffenen Vereinbarungen nicht widersprechen, und unter Eigentumsvorbehalt.

FAG Sales Europe GmbH

FAG Sales Europe GmbH
Geschäftsführer: Dr. Giancarlo Galli, Edgar Binnemann
Sitz und Registergericht: Schweinfurt, HRB 3155

Konto-Nr. 8 418 485 00 Deutsche Bank AG, Schweinfurt
BLZ 790 700 16 / SWIFT: DEUTDEMM790
Konto-Nr. 400 895 900 Dresdner Bank AG, Schweinfurt
BLZ 793 800 51 / SWIFT: DRESDEFF793

5.2.5 Gegenangebot des Lieferanten

Sigfúsar Eymundssonar
Austurstræti 18

121 Reykjavik

Island

Attention: Ms. Patberg   30. 09. 20--

Sehr geehrte Frau Patberg,

wir bestätigen den Empfang Ihres Schreibens vom 22. 09. und danken Ihnen für
Ihre Bestellung.

Leider müssen wir Ihnen jedoch mitteilen, dass die von Ihnen genannten Preise
nicht mehr gültig sind. Wegen der gestiegenen Materialpreise und der Erhöhung
der Tariflöhne und -gehälter waren wir gezwungen, unsere Preise der Kostenent-
wicklung anzupassen. Wir legen unsere neueste, seit dem 01. 06. gültige Preisliste
bei und bitten Sie, den Auftrag zu den neuen Preisen zu bestätigen.

Die Lieferung kann innerhalb 4 Wochen nach Eingang Ihrer Bestätigung erfolgen.

Mit freundlichen Grüßen
Eberle & Co. KG

Anlage

5.3   Briefbausteine

Über Ihren Auftrag vom ... haben wir uns sehr gefreut.

Wir haben den uns erteilten Auftrag, für den wir bestens danken, wie folgt vorgemerkt: ...

Die Sendung geht am ... als Luftfrachtgut an Sie ab.

Wir werden Sie benachrichtigen, sobald die Sendung versandbereit ist.

Wir werden Ihren Auftrag mit der größten Sorgfalt ausführen / ... Ihre Anweisungen genau beachten.

Wir hoffen, dass dieser Erstauftrag zu weiteren Geschäftsabschlüssen / zu einer dauerhaften Geschäftsverbindung führen wird.

Ablehnung der Bestellung / Gegenangebote des Lieferanten

Wir müssen Ihnen leider mitteilen, dass die von Ihnen bestellten Artikel nicht mehr hergestellt werden / ... dass es uns nicht möglich ist, Ihre Bestellung fristgemäß auszuführen.

Eine neue Lieferung wird nicht vor ... erwartet.

Das Gerät ist leider nicht mehr lieferbar, da es inzwischen durch eine verbesserte Version ersetzt worden ist.

Seit Beginn des Jahres führen wir keine Haushaltsgeräte mehr.

Wir sind leider nicht in der Lage, Ihren Auftrag zu den von Ihnen genannten Preisen anzunehmen.

Die Preisliste, auf die Sie sich in Ihrer Bestellung beziehen, ist inzwischen durch eine neue ersetzt worden, die wir diesem Schreiben beilegen.

Den von Ihnen genannten Preis können wir nur akzeptieren, wenn Sie Ihre Bestellung auf ... Stück erhöhen.

5.4 Übungen

5.4.1 Briefreihe I, e (← 4.2.1, → 8.4.1)

Am 3. 10. bestätigt Lidia Martinelli von Cora S.p.A. den von Hartmann oHG erteilten Auftrag. Entwerfen Sie das Bestätigungsschreiben.

5.4.2 Briefreihe III, c (← 4.2.2, → 8.4.2)

Massoud & Co., Ltd. bestätigt am 30. 11. das mit Holtmann AG abgeschlossene Geschäft unter der Kontrakt-Nr. 6779. In dieser Bestätigung bezieht die Firma sich auf ihr Angebot vom 15. 11. sowie die E-Mail von Holtmann vom 29. 11., wiederholt die Einzelheiten der Bestellung und führt außerdem die folgenden Punkte auf:

Gewichtsbasis:	Abladegewicht
Verpackung:	in Sisalsäcken
Verschiffung:	Dezember 20-- mit D. „Zonnekerk"
Verschiffungshafen:	Mombasa
Bestimmungshafen:	Bremen
Arbitrage:	Alle sich eventuell aus diesem Vertrag ergebenden Streitigkeiten sind durch Arbitrage in London beizulegen.

5.4.3 Briefreihe V, b (← 4.2.3, → 8.4.3)

Peter Petersen A/S bestätigt am 14. 5. den Auftrag von Günther Friedrich KG – Möbel voraussichtlich in ca. 4 Wochen versandbereit – frühere Lieferung wegen der großen Zahl der vorliegenden Aufträge leider nicht möglich – Lieferbedingung: geliefert Grenze, wie gewünscht – Bahnfracht ab Grenze geht zu Lasten des Käufers

5.4.4 Morris Engines PLC, Bristol, an Maschinenfabrik Werner GmbH, Augsburg

Jim Clark von Morris bestätigt sein Telefongespräch mit Antje Fischer – Annahme der Bestellung über 120 Kurbelwellen leider nicht möglich – Grund: Die Kurbelwellen sind für die Tochtergesellschaft von Werner in Jakarta bestimmt, Indonesien gehört jedoch zum Verkaufsgebiet der Niederlassung von Morris in Singapur – Werner bzw. die Tochtergesellschaft von Werner in Jakarta soll sich daher an die Niederlassung von Morris in Singapur wenden (Morris Engines Pte. Ltd., 866 Jurong Rd., Singapore)

6 Kreditauskunftsersuchen

6.1 Einleitung

Um die Zahlungsfähigkeit eines Kunden festzustellen, kann der Lieferant vor Vertragsabschluss eine Auskunft über diesen einholen. Neben der Bitte um Kreditauskunft gibt es aber auch noch andere Auskunftsersuchen. So möchte sich vielleicht ein Importeur über die Zuverlässigkeit und Leistungsfähigkeit eines neuen Lieferanten informieren, oder eine Exportfirma möchte feststellen, ob ein ausländisches Unternehmen, das sich um ihre Vertretung beworben hat, die gestellten Anforderungen erfüllt.

Meist gibt ein neuer Geschäftspartner andere Unternehmen oder Banken als Referenzen an, bei denen Erkundigungen eingezogen werden können. Der Auskunftsuchende kann sich auch an eine Wirtschaftsauskunftei wenden. Die Industrie- und Handelskammern sowie die Auslandshandelskammern gewähren Hilfe bei der Beschaffung von Auskünften.

6.2 Musterbriefe
6.2.1 Briefreihe II

Bauer Electronic GmbH wendet sich vor Abgabe des Angebots an die ELAG in Frankfurt, eine der von Arturo Klein genannten Referenzen.

BAUER ELECTRONIC GMBH
Ostracher Str. 15

70567 Stuttgart

Telefon (07 11) 72 73 98
Telefax (07 11) 72 46 45

TELEFAX AN

ELAG
Hanauer Landstraße 116
60314 Frankfurt am Main
Telefax-Nr. (0 69) 4 93 90 62

Datum: 26. 03. 20--
Seitenzahl
(inklusive Erstblatt): 1

Vertraulich

Sehr geehrte Damen und Herren,

die Firma Klein y Cía. Ltda., San José (Costa Rica), die mit uns in Geschäfts-verbindung treten möchte, hat uns Ihr Haus als Referenz genannt.

Wir wären Ihnen daher sehr dankbar, wenn Sie uns Näheres über diese Firma mitteilen könnten. Uns interessieren neben dem Ruf und dem Ansehen des Inhabers die Größe, der Umsatz und die Zahlungsweise der Firma. Vielleicht könnten Sie auch kurz zu der Frage Stellung nehmen, welche Zahlungsbedingungen Ihrer Ansicht nach mit der Firma Klein vereinbart werden sollten.

Wir danken Ihnen für Ihre Bemühungen und versichern Ihnen, dass wir Ihre Auskunft streng vertraulich behandeln werden.

Mit freundlichen Grüßen
Bauer Electronic GmbH
ppa. Schmitt i. A. Lauer

6.2.2 Anfrage wegen Firma, die sich um Vertretung beworben hat

Sehr geehrte Damen und Herren,

die Firma Kalaitzakis in Athen hat uns mitgeteilt, dass Sie mit ihr in laufender Geschäftsverbindung stehen.

Diese Firma hat sich um unsere Vertretung in Griechenland beworben. Bei Übertragung der Vertretung würden wir ihr Konsignationswaren im Werte von ca. ... zur Verfügung stellen.

Bevor wir eine Entscheidung in dieser Angelegenheit treffen, möchten wir Sie bitten, uns kurz mitzuteilen, wie Sie die Vermögenslage und Zuverlässigkeit dieser Firma einschätzen. Außerdem interessiert uns natürlich die Frage, ob sie nach Ihrer Meinung in der Lage ist, den griechischen Markt intensiv zu bearbeiten.

Wir danken Ihnen für Ihre Mühe und sichern Ihnen vertrauliche Behandlung Ihrer Auskunft zu.

Mit freundlichen Grüßen

6.2.3 Vordruck einer Bank für die Einholung von Auskünften

Auskunftsanfrage   Zutreffendes bitte ankreuzen ☒   HypoVereinsbank

An die   Bearbeitet   Ort/Datum

                          Telefonnr. des Absenders   Telefaxnr. des Absenders

                          Telefaxnr. des Empfängers   Seitenzahl insgesamt

Bei Antwort bitte unbedingt angeben:
Unser Zeichen:

Sehr geehrte Damen und Herren,

bitte erteilen Sie uns eine ausführliche Auskunft über Vermögensverhältnisse, Kreditfähigkeit, Geschäftsbetrieb und Ruf nachstehender Firma/Person,

Name:
Straße:
Ort:
Bankverbindung:
BLZ:

insbesondere ob gut für EUR _____   ☐ Kreditverbindlichkeit
                                                             ☐ Warenverbindlichkeit
                                                             ☐ _____

☐ Im eigenen Interesse   ☐ Ausdrückliche Ermächtigung liegt uns vor.
☐ Im Kundeninteresse   ☐ Ermächtigung liegt bei.

☐ Ihre Antwort erbitten wir per Telefax.

Ihre Mitteilung wird vertraulich behandelt. Für Ihre Bemühungen danken wir Ihnen im Voraus. Zu Gegendiensten sind wir gerne bereit.

Mit freundlichen Grüßen

Bayerische Hypo- und Vereinsbank AG

Auskunftsanfrage 01/99/s

6.3 Briefbausteine

Die auf dem beiliegenden Blatt genannte Firma, mit der wir wegen eines größeren Auftrags verhandeln, hat Sie als Referenz genannt.

Da uns diese Firma unbekannt ist, ...

Da wir mit dieser Firma bisher nicht in Geschäftsverbindung standen, ...

... wären wir Ihnen für möglichst genaue Auskunft über ... dankbar.

Ist ein Kredit bis zu einer Höhe von ... Ihrer Ansicht nach vertretbar?

... bitten wir Sie, uns mitzuteilen, ob wir der Firma nach Ihren Erfahrungen einen Kredit in Höhe von ... einräumen können.

Wir danken Ihnen für Ihre Gefälligkeit und versichern Ihnen, dass wir Ihre Auskunft streng vertraulich behandeln werden.

Wir versichern Ihnen, dass wir Ihre Auskunft als streng vertraulich und für Sie unverbindlich behandeln werden.

6.4 Übungen

6.4.1 Briefreihe I

Bevor Cora S.p.A. ihr Angebot abgibt, bittet sie ihre Bank, die Banca Commerciale Italiana, von der Dresdner Bank in München eine Auskunft über Hartmann oHG einzuholen. Entwerfen Sie die Anfrage, die die Banca Commerciale Italiana auf diese Bitte hin am 10.9. an die Dresdner Bank richtet.

6.4.2 Pineau & Fils, Straßburg (Frankreich), an Steiner AG, Aachen

Pineau & Fils, Hersteller von elsässischen Backwaren, hat von Sabine Hausmann e. Kfr. einen Auftrag in Höhe von ca. € 50.000 erhalten. Die deutsche Firma, die weitere Geschäfte in Aussicht gestellt hat, beansprucht 60 Tage Ziel. Als Referenz nennt sie u. a. Steiner AG in Aachen, einen Lieferanten, von dem sie schon seit längerer Zeit Waren bezieht. Pineau holt von dieser Firma eine Auskunft ein.

7 Kreditauskunft

7.1 Einleitung

Eine Firma ist natürlich nicht verpflichtet, anderen Firmen Kreditauskünfte zu erteilen. Im Allgemeinen werden solche Auskünfte aber nicht verweigert, da sie zu den im Geschäftsverkehr üblichen gegenseitigen Hilfeleistungen gehören. (Die Verweigerung einer Auskunft kann in bestimmten Fällen auch als diskrete negative Aussage gewertet werden.) Banken beschaffen Kreditinformationen im Ausland über ihre dortigen Niederlassungen oder Korrespondenzbanken. Wirtschaftsauskunfteien erteilen gegen Entgelt detaillierte Auskünfte als Einzelauskünfte oder im Abonnement.

Auskünfte werden meist ohne Verbindlichkeit erteilt, d. h. der Auskunftgebende schließt seine Haftung für Folgen seiner Auskunft aus. (Die Haftung für vorsätzlich falsch erteilte Auskünfte kann jedoch nicht ausgeschlossen werden; wer entgeltliche Auskünfte gibt, haftet darüber hinaus auch für Fahrlässigkeit.) Der Auskunftsempfänger wird in der Regel um vertrauliche Behandlung der Auskunft gebeten.

7.2 Musterbriefe

7.2.1 Briefreihe I

Die Dresdner Bank in München beantwortet die Anfrage der Banca Commerciale Italiana per E-Mail wie folgt:

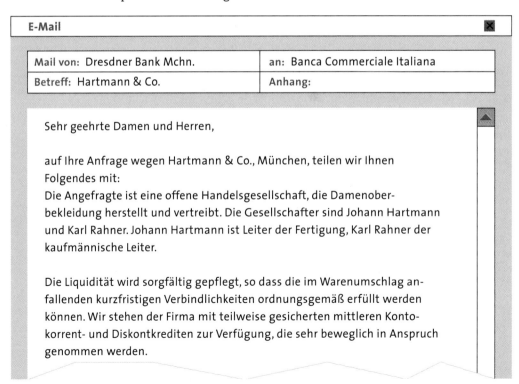

E-Mail	✖

Mail von: Dresdner Bank Mchn.	an: Banca Commerciale Italiana
Betreff: Hartmann & Co.	Anhang:

Sehr geehrte Damen und Herren,

auf Ihre Anfrage wegen Hartmann & Co., München, teilen wir Ihnen Folgendes mit:
Die Angefragte ist eine offene Handelsgesellschaft, die Damenoberbekleidung herstellt und vertreibt. Die Gesellschafter sind Johann Hartmann und Karl Rahner. Johann Hartmann ist Leiter der Fertigung, Karl Rahner der kaufmännische Leiter.

Die Liquidität wird sorgfältig gepflegt, so dass die im Warenumschlag anfallenden kurzfristigen Verbindlichkeiten ordnungsgemäß erfüllt werden können. Wir stehen der Firma mit teilweise gesicherten mittleren Kontokorrent- und Diskontkrediten zur Verfügung, die sehr beweglich in Anspruch genommen werden.

In letzter Zeit wurde ein Umsatz von ca. ... erzielt. In Anbetracht der derzeitigen Marktverhältnisse ist die Beschäftigungslage gut. Die Zukunftsaussichten werden zuversichtlich beurteilt.

Wir erteilen diese Auskunft vertraulich und ohne jede Verbindlichkeit.

Mit freundlichen Grüßen
Dresdner Bank München
Johanna Schreiner

7.2.2 Briefreihe II

ELAG erteilt Bauer Electronic GmbH per Telefax die gewünschte Auskunft über Klein y Cía. Ltda.:

VON: ELAG, Frankfurt / Main
Telefax-Nr.: (0 69) 4 93 90 62

AN: Bauer Electronic GmbH Stuttgart
Telefax-Nr.: (07 11) 72 46 45

DATUM: 28. 03. 20--

Zahl der übermittelten Seiten: 1

BETREFF: Ihre Anfrage

Sehr geehrte Damen und Herren,

auf Ihre Anfrage vom 26. 03. wegen Klein y Cía. Ltda., San José (Costa Rica), können wir Ihnen Folgendes mitteilen:

Die oben genannte Firma besteht seit ca. 35 Jahren. Der derzeitige Eigentümer, Arturo Klein, ist Sohn des Gründers, Hermann Klein, eines Deutschen, der kurz nach dem Krieg nach Costa Rica ausgewandert ist.

Arturo Klein ist ein tüchtiger und geschickter Unternehmer, der sein Geschäft in den letzten Jahren modernisiert und erweitert hat. Derzeit werden 35 Personen beschäftigt; der Umsatz beläuft sich auf ca. ... pro Jahr. Soweit wir dies von hier beurteilen können, ist die finanzielle Lage der Firma gut. Trotzdem möchten wir Ihnen wegen der unsicheren Verhältnisse in Mittelamerika raten, auf Eröffnung eines unwiderruflichen und bestätigten Akkreditivs zu bestehen.

Wir hoffen, Ihnen mit dieser Auskunft gedient zu haben, die wir Ihnen vertraulich und ohne Verbindlichkeit erteilen.

Mit freundlichen Grüßen
ELAG
ppa. Dr. Hahn ppa. Geroldt

7.2.3 Ungünstige Auskunft

Sehr geehrte Frau Dubois,

wir stehen mit der in Ihrem Schreiben vom 20. Juni genannten Firma seit 2 Jahren in Geschäftsverbindung. Sie hat anfänglich ihre Rechnungen stets pünktlich bezahlt. In den letzten 6 Monaten gingen die Zahlungen jedoch oft erst nach mehrmaligem Mahnen ein. Die Gründe für die schleppende Zahlungsweise sind uns nicht bekannt, wir haben jedoch beschlossen, die Firma künftig nur noch gegen Vorauszahlung oder Nachnahme zu beliefern. In Anbetracht dieser Sachlage möchten wir zur Vorsicht raten.

Bitte behandeln Sie diese Auskunft, für die wir jede Haftung ablehnen, als streng vertraulich.

Mit freundlichen Grüßen

7.3   Briefbausteine

Günstige Auskunft

Die von Ihnen genannte Firma genießt einen ausgezeichneten Ruf.

Seit 5 Jahren zählt die Mossmann AG zu unseren regelmäßigen Kunden.

Ich stehe mit der Firma seit über 10 Jahren in Geschäftsverbindung und habe ihr Kredite bis zu … gewährt.

Die Geschäftsverbindung war immer angenehm.

Die Firma verfügt über beträchtliche finanzielle Mittel / … ist ihren Zahlungsverpflichtungen stets pünktlich nachgekommen.

Unseres Erachtens können Sie den gewünschten Kredit ohne Bedenken gewähren.

Ungünstige Auskunft

In Beantwortung Ihres Schreibens müssen wir Ihnen leider mitteilen, dass es uns nicht ratsam erscheint, den von Ihnen genannten Kredit zu gewähren.

Wir haben den Eindruck, dass die Firma mit Absatzschwierigkeiten zu kämpfen hat.

Durch den Konkurs eines ihrer Hauptabnehmer sind der Firma beträchtliche Verluste entstanden.

Die Firma scheint sich in einer schwierigen finanziellen Lage zu befinden.

In Anbetracht der undurchsichtigen Lage möchten wir die Einholung einer detaillierten Auskunft von einer Wirtschaftsauskunftei vorschlagen.

7.4 Übungen

7.4.1 Jiménez e Hijos, Barcelona, an Gutmann & Co. KG, Paderborn

Jiménez e Hijos teilt Gutmann & Co. KG auf eine Hernández Hermanos betreffende Anfrage Folgendes mit: Angefragte seit längerer Zeit bekannt – gut fundiertes Außenhandelsunternehmen, das für eigene Rechnung und als Vertreter für einige namhafte ausländische Gesellschaften tätig ist – Inhaber sind tüchtige und zuverlässige Kaufleute, die über ausgedehnte Geschäftsbeziehungen verfügen – Verbindlichkeiten wurden stets prompt erfüllt – gewünschter Kredit kann nach Ansicht von Jiménez ohne Bedenken gewährt werden – vertrauliche Behandlung erbeten – Haftung wird nicht übernommen.

7.4.2 Handelsauskunftei Müller, Hamburg, an Cranston Commercial Agency, Toronto

Müller erhält eine Anfrage von Cranston wegen Robel & Co. GmbH, Lübeck. Entwerfen Sie die Auskunft nach folgenden Stichwortangaben.

1970 als oHG unter der Firma Robel & Co. gegründet – 1975 Umwandlung in eine GmbH – 1977 übernimmt der Gründer, Caspar Robel, sämtliche GmbH-Anteile – ausgezeichneter Ruf des Unternehmens bis zum Tode des Gründers vor 4 Jahren – seit Übernahme der Geschäftsführung durch seinen Sohn und Alleinerben, Oswald Robel, zunehmende finanzielle Schwierigkeiten – Mangel an liquiden Mitteln verhindert dringend notwendige Neuinvestitionen – Lieferanten klagen über schleppenden Zahlungseingang.

8 Versandanzeige und Rechnung

8.1 Einleitung

Nach Versand der Ware sendet der Lieferant seinem Kunden eine Versandanzeige, meist zusammen mit der Rechnung (oder einer Rechnungskopie).
Wenn die Rechnung so rechtzeitig übersandt wird, dass sie vor der Ware beim
Kunden ankommt, kann sie auch als Versandanzeige dienen. Soll der Käufer
einen Wechsel akzeptieren, so wird ihm dieser mit einer kurzen Mitteilung, der
Trattenankündigung (Trattenavis), übersandt. Manchmal muss der Käufer
auch benachrichtigt werden, sobald die Ware fertiggestellt oder versandbereit
ist. Die Rechnung (Handelsrechnung, Faktura) gibt den Betrag an, den der
Käufer zahlen muss. Da sie im Einfuhrland auch für amtliche Zwecke (Zoll-
abfertigung) benötigt wird, muss sie genau den Vorschriften des betreffenden
Landes entsprechen.

Luftfracht

Verpackung. Für die innere Verpackung werden Kraftpapier, Wellpappe, Schachteln, Folien, Schaumstoff-Formteile usw. verwendet. Die äußere Verpackung kann aus Kisten, Lattenverschlägen und Kartons (siehe nachstehende Abbildungen) bestehen.

Die Außenverpackung soll die Ware während des Transports vor Beschädigung und Beraubung schützen. Bei Seeversand ist seemäßige Verpackung erforderlich, an deren Festigkeit besonders hohe Anforderungen gestellt werden. Bei der Verpackung von Exportgütern muss der Exporteur die Anweisungen des Käufers und die behördlichen Vorschriften des Einfuhrlandes beachten.

Versandbehälter:

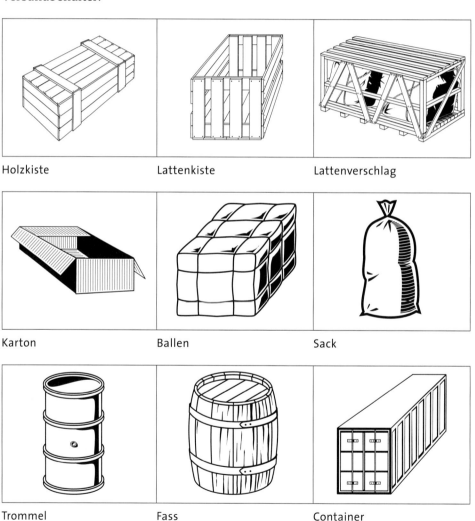

Holzkiste   Lattenkiste   Lattenverschlag

Karton   Ballen   Sack

Trommel   Fass   Container

Kollo-Markierung. Die Markierung (Beschriftung) der Kolli, d. h. der Packstücke, ist notwendig, damit die Sendung ihren Bestimmungsort auf dem vorgeschriebenen Weg erreicht, kein Teil der Sendung fehlgeleitet wird oder verloren geht, und die Sendung sachgemäß behandelt wird. Wie bei der Verpackung sind auch bei der Markierung die Anweisungen des Käufers und die Vorschriften des Einfuhrlandes zu beachten.

1 Kennmarke des Empfängers
2 Auftragsnummer
3 Bestimmungshafen
4 Nummer des Kollos und Gesamtzahl der Kolli
5 Gewicht und Ausmaße
   (nicht immer erforderlich)
6 Ursprungsbezeichnung
   (nicht immer erforderlich)

Vorsichtsmarkierungen:

Entzündbare Flüssigkeit   Vorsicht, Glas – zerbrechlich   Vor Nässe schützen

Vor Hitze schützen   Oben   Nicht haken

8.2 Musterbriefe
8.2.1 Briefreihe II, e (← 5.2.1, → 9.4.1)

Herrn
Arturo Klein
Klein y Cía. Ltda.
Apartado 3767
San José
Costa Rica

08. 06. 20--

Versandanzeige

Sehr geehrter Herr Klein,

die von Ihnen am 18. 04. bestellten Radiorecorder und Auto-CD-Spieler sind heute in Hamburg mit MS „Laura" verladen worden, das voraussichtlich am 28. 06. in Puerto Limón eintreffen wird. Die Sendung besteht aus 10 Kolli, die gemäß Ihren Anweisungen wie folgt markiert sind:
KCL
1–10
San José via
Puerto Limón
Costa Rica

Die Kolli 1–5 enthalten die CD-Spieler, die Kolli 6–10 die Radiorecorder. Das Netto-gewicht der einzelnen Geräte sowie das Bruttogewicht und der Inhalt eines jeden Kollos sind in der Handelsrechnung angegeben, von der wir einen Durch-schlag beilegen.

Den vollständigen Satz Versanddokumente haben wir unserer Bank zur Ein-lösung des Akkreditivs übergeben.

Wir hoffen, dass die Sendung wohlbehalten ankommen wird, und würden uns freuen, bald weitere Aufträge von Ihnen zu erhalten.

Mit freundlichen Grüßen
Bauer Electronic GmbH
ppa. Schmitt i. A. Lauer

Anlage

8.2.2 Containerversand

Nachtmann

Hausanschrift:
F. X. Nachtmann Bleikristallwerke GmbH
Zacharias-Frank-Straße 7
92660 Neustadt a. d. Waldnaab

Telefon: (0 96 02) 30-0
Telefax: (0 96 02) 30-100

Nachtmann GmbH 92657 Neustadt a. d. Waldnaab

Bultman Whittaker Inc.
655 Clairmont Avenue
Providence, RI 02907
U.S.A.

Attention: Mr. John Weinman

Ihre Nachricht vom	Ihre Zeichen	Unsere Zeichen	Datum
	AA/Re		5. Juli 20--

Lieber Mr. Weinman,

wie wir Ihnen bereits telefonisch mitgeteilt haben, sind inzwischen zwei weitere Container von unserem Hauptwerk in Neustadt an Sie abgegangen. Die entsprechenden Rechnungen vom 20. und 23. Juni legen wir diesem Schreiben bei. Außerdem erhalten Sie als Anlage unsere Lastschriftanzeige über $ ... für die im Zusammenhang mit Container Nr. USLU625745-5 angefallenen besonderen Verpackungskosten.

Wir hoffen, dass die Containerladungen wohlbehalten bei Ihnen ankommen, und erwarten Ihre Empfangsanzeige.

Mit den besten Grüßen

3 Anlagen

Amtsgericht Weiden i. d. OPf. HRB 413
Sitz Neustadt a. d. Waldnaab
Geschäftsführer:
Dipl.-Kfm. Toni Frank, Dipl.-Ing. Walter Frank
Aufsichtsratsvorsitzender: Dr. Herbert Huber

8.2.3   Luftversand

Sehr geehrter Herr O'Connor,

die von Ihnen vor zwei Wochen telefonisch bestellten Teile sind inzwischen in Frankfurt eingetroffen. Sie wurden heute der Deutschen Lufthansa zum Weitertransport nach Dublin übergeben und sollten im Laufe des morgigen Tages durch den Luftfrachtspediteur ausgeliefert werden.

Die Handelsrechnung über ... US Dollar legen wir bei. Wir dürfen Sie bitten, den Rechnungsbetrag, wie vereinbart, innerhalb 30 Tagen auf unser Konto bei der Dresdner Bank in Hanau zu überweisen.

Mit freundlichen Grüßen

Anlage

8.2.4   Versandanzeige und Trattenavis

Sehr geehrte Frau Christiansen,

die von Ihnen am 08. 07. bestellte Presse ist heute per Bahn an Sie abgegangen. Über den Betrag unserer Rechnung in Höhe von ... haben wir, wie gewünscht, auf Sie einen Wechsel per 60 Tage Sicht gezogen. Rechnung und Tratte legen wir diesem Schreiben bei. Bitte senden Sie uns die Tratte so bald wie möglich mit Ihrem Akzept versehen zurück.

Mit freundlichen Grüßen

Anlagen

8.2.5 Exportfaktura

Gebr. Märklin & Cie GmbH Göppingen

Telefon (0 71 61) 608-1
Telex 727784
Telefax (0 71 61) 6 98 20
Telegramm: Märklin
Holzheimer Straße 8

Gebr. Märklin & Cie GmbH 73037 Göppingen

Firma   Kunden-Nr.
Michel Nyssen
Jouets, Sports et Cycles SPRL   **Rechnung**
38, rue de la Station   ST

B-4600 Chenée
                                               73037 Göppingen (Germany)
                                               8. Juli 20--

Ihre Bestellung(en) vom 25. Mai 20--

Kiste(n) Paket(e). gez. Nr. 0450

durch Post

Gewicht brutto 9,7 kg/netto 8,1 kg

Anzahl	Artikel-Nr.	Artikel	Einzelpreis	Betrag
2	3100	Berliner Loks	...	...
5	4183	S-Bahn-Wagen	...	...
5	4184	S-Bahn-Wagen	...	...
3	4200	Abteilwagen	...	...
3	4201	Abteilwagen	...	...
5	4202	Abteilwagen	...	...
2	4203	Abteilwagen	...	...
4	4748	Gaskesselwagen	...	...
29				€ ...
		Porto		...
				€ ...

Zahlung 15 Tage ab Rechnungsdatum: 5 % Skonto
Zahlung 30 Tage ab Rechnungsdatum: 2 % Skonto
Zahlung 60 Tage ab Rechnungsdatum: rein netto

Ihre N°TVA: BE0000000000
Unsere Ust-IdNr.: DE0000000000

Die Lieferung wurde nach § 6 a UstG als steuerfreie
innergemeinschaftliche Lieferung behandelt.

Die Lieferung erfolgt auf Grund unserer Ihnen bekannten Bedingungen. Erfüllungsort für Lieferung und Zahlung ist Göppingen. Beanstandungen nur innerhalb 8 Tagen

130 690 Deutsche Bank AG Göppingen   237 Kreissparkasse   61007450 Landeszentralbank   Amtsgericht
S.W.I.F.T.-Code: DEUT DE SG   Göppingen BLZ 610 500 00   Göppingen BLZ 610 000 00   Göppingen HRB 4
2 028 153 Dresdner Bank AG Göppingen 1250 Gebr. Martin Bank   1141-700 Postbank Stuttgart   Sitz der Gesellschaft:
S.W.I.F.T.-Code: DRES DE FF 610   Göppingen BLZ 610 300 00   BLZ 610 100 70   Göppingen

8.3   Briefbausteine

Die von Ihnen am … bestellten Waren wurden heute mit MS „Martha" in Hamburg verladen / … haben wir heute als Postgut an Sie abgesandt.

Wir sandten Ihnen heute auf Ihre Rechnung und Gefahr …

Wir legen unsere Rechnung über … bei. Der Rechnungsbetrag wird durch unseren Spediteur eingezogen.

Bitte überweisen Sie den Rechnungsbetrag auf unser Konto bei der Deutschen Bank in Stuttgart.

Wir haben Ihr Konto mit dem Betrag der beigefügten Rechnung belastet.

Wir hoffen, dass die Sendung wohlbehalten / in gutem Zustand bei Ihnen eintrifft.

Wir sind überzeugt, dass die Artikel guten Absatz finden werden, und würden uns freuen, bald weitere Aufträge von Ihnen zu erhalten.

8.4   Übungen

8.4.1   Briefreihe I, f (← 5.4.1, → 9.2.1)

Am 15. 12. teilt Cora S.p.A. der Firma Hartmann mit, dass sie die 50 Ballen Stoff ihrem Spediteur, F.lli Avandero, übergeben hat. Sie legt ihrem Schreiben eine Kopie ihrer Rechnung bei. Die Originalrechnung, in der die Beförderungskosten ab deutsche Grenze bis München gesondert aufgeführt sind, wird der italienische Spediteur der Firma Gebr. Westenrieder in München aushändigen.

8.4.2   Briefreihe III, d (← 5.4.2)

Am 20. 12. informiert die Firma Massoud & Co., Ltd. ihren Kunden in Bremen, Holtmann AG, von der Verladung der 200 Sack Kaffee laut Kontrakt Nr. 6779 mit MS „Zonnekerk", das am 21. 12. ausläuft. Sie legt eine Kopie der Handelsrechnung bei. Die Versanddokumente (Handelsrechnung, voller Satz reiner Bordkonnossemente, Gewichtsnota und Kaffee-Ursprungszeugnis) hat sie zusammen mit einer Sichttratte ihrer Bank zur Weiterleitung an die Commerz- und Diskontbank Bremen übergeben, die das Inkasso vornehmen wird. Massoud hofft, dass die Sendung wohlbehalten ankommen und zur vollen Zufriedenheit des Käufers ausfallen wird.

8.4.3   Briefreihe V, c (← 5.4.3, → 12.2.1)

Die Firma Petersen sendet Günther Friedrich KG am 16. 6. ihre Rechnung und teilt mit, dass die bestellten Möbel, verpackt in 5 Kartons, der Bahn übergeben worden sind.

9 Bestätigung des Empfangs der Ware und Zahlungsanzeige

9.1 Einleitung

Eine Bestätigung des Empfangs der Ware ist in der Regel nur dann erforderlich, wenn der Lieferant darum gebeten hat. Die Zahlungsanzeige (Zahlungsavis) ist die Mitteilung über die Zahlungsregelung. Sie kann ein separates Schreiben sein oder mit der Bestellung (bei Vorauszahlung) oder der Empfangsbestätigung für die Ware verbunden werden. Falls der Käufer einen Wechsel erhalten hat, sendet er ihn mit seinem Akzept zurück.

9.2 Musterbriefe

9.2.1 Briefreihe I, g (← 8.4.1)

Nach Eingang und Prüfung der gelieferten Ware sendet Hartmann oHG der italienischen Lieferfirma eine Empfangsbestätigung mit Zahlungsanzeige.

Cora S.p.A.
Frau Lidia Martinelli
Piazza Vecchia

I-13051 Biella

18. 12. 20--

Sehr geehrte Frau Martinelli,

die am 15.12. angekündigte Sendung ist gestern wohlbehalten bei uns eingetroffen. Wir danken Ihnen für die prompte Erledigung unserer Bestellung. Wie wir bei der Prüfung feststellen konnten, sind die gelieferten Stoffe mustergetreu.

Wir haben heute unsere Bank angewiesen, den Betrag Ihrer Rechnung in Höhe von ... EUR abzüglich 3 ½ % Skonto auf Ihr Konto bei der Banca Commerciale Italiana in Biella zu überweisen.

Sobald wir weitere Wollstoffe benötigen, werden wir uns wieder an Sie wenden.

Mit freundlichen Grüßen
Hartmann oHG
Karl Rahner

9.2.2 Rücksendung des akzeptierten Wechsels

Sehr geehrter Herr Capan,

die mit Ihrem Schreiben vom 10. 09. angekündigte Sendung ist inzwischen bei uns eingetroffen.

Ihren Wechsel über ... EUR, Order eigene, fällig am 10. 12., senden wir Ihnen mit unserem Akzept versehen zurück. Wir haben ihn bei unserer Bank zahlbar gestellt. Für prompte Einlösung bei Verfall werden wir Sorge tragen.

Mit freundlichen Grüßen

Anlage

„Schon wieder die Rechnungsnummer vergessen!"

9.2.3 Empfangsbestätigung und Zahlungsanzeige

E-Mail	☒

Mail von: hafner@gabag.de	an: dussac@dupontcie.fr
Betreff: Rechnung	Anhang:

Sehr geehrter M. Dussac,

Die uns am 26.05. angekündigte Sendung ist inzwischen hier angekommen. Wir haben die Waren geprüft und in Ordnung befunden. Zum Ausgleich Ihrer Rechnung vom 04.06. erhalten Sie einen Verrechnungsscheck über EUR 655.98 auf die Commerzbank in Dresden. Wir bitten um Gutschriftsanzeige.

Mit freundlichen Grüßen

Georg Hafner

Aufstellung:

Rechnungsbetrag	EUR	672.80
./. 2 1/2 % Skonto	EUR	16.82
	EUR	655.98

9.3 Briefbausteine

Die Sendung ist heute in gutem Zustand in Hamburg angekommen.

Wir legen einen Verrechnungsscheck über … bei. Bitte schreiben Sie diesen Betrag unserem Konto gut.

Die Überweisung des Rechnungsbetrags wird umgehend veranlasst.

Als Anlage erhalten Sie unser Akzept für den Betrag Ihrer Rechnung. Prompte Einlösung bei Verfall sichern wir Ihnen zu.

Bei der Prüfung Ihrer Rechnung stellten wir fest, dass Ihnen bei der Addition ein Fehler unterlaufen ist.

Die von uns am ... geleistete Vorauszahlung wurde bei der Abrechnung nicht berücksichtigt.

Die in der Rechnung genannte Menge stimmt nicht mit der tatsächlichen Liefermenge überein.

9.4 Übungen

9.4.1 Briefreihe II, f (← 8.2.1)

Arturo Klein bestätigt am 30. 6. den Eingang der in der Versandanzeige von Bauer Electronic GmbH angekündigten Sendung. Er bittet die Lieferfirma bei dieser Gelegenheit, ihn in Zukunft durch Zusendung des jeweils neuesten Katalogs über ihr Lieferprogramm auf dem Laufenden zu halten. Außerdem erkundigt er sich, ob Bauer eventuell bereit wäre, ihm die Alleinvertretung für Costa Rica zu übertragen.

9.4.2 Neudorfer & Co., Salzburg, an Johann Holzer e.K., München

Neudorfer & Co. begleicht die Rechnung von Johann Holzer e. K. vom 2. 5. über 850,00 EUR durch Scheck auf die Volksbank Salzburg, nachdem sie gemäß den vereinbarten Zahlungsbedingungen 3 % Skonto abgezogen hat. Entwerfen Sie die Zahlungsanzeige.

9.4.3 Jan van Cleef, Antwerpen, an Müller & Co. KG in Bielefeld

Kontoauszug für das 2. Quartal 20-- erhalten – weist Saldo zu Gunsten von Müller in Höhe von EUR 6 523,40 aus – Prüfung hat ergeben, dass zwei Gutschriften nicht berücksichtigt wurden: Gutschrift vom 24. 4. in Höhe von EUR 200,00 für zurückgesandte Verpackung und Gutschrift vom 10. 6. in Höhe von EUR 560,70 im Zusammenhang mit der Reklamation vom 15. 5. – van Cleef bittet um Prüfung und Bestätigung des berichtigten Saldos von EUR 5 762,70.

10 Lieferstörungen: Käufer an Verkäufer

10.1 Einleitung

Wenn der Verkäufer nicht rechtzeitig liefert, wird er vom Käufer gemahnt. In der Mahnung fordert der Käufer den Verkäufer auf, die fällige Lieferung durchzuführen. Er kann eine Nachfrist für die Lieferung setzen und für den Fall, dass der Verkäufer diese nicht einhält, bestimmte Konsequenzen ankündigen. Oft sendet der Käufer dem Verkäufer mehrere Mahnungen, wobei erst in der letzten eine Frist gesetzt wird.

„Wann können wir endlich mit der Lieferung der von uns bestellten Förderanlage rechnen?"

10.2 Musterbriefe

10.2.1 Anmahnung einer Lieferung

Von:	Baumeister AG Erfurt	**Datum:** 29.03.20--
	Werner Kunzmann	**Unsere Zeichen:** KU E-3
An:	NEMA, Bratislava	**Seiten:** 1
	Herrn Cierna	
Betreff:	Unser Auftrag Nr. 34667	

Sehr geehrter Herr Cierna,

da ich Sie telefonisch nicht erreichen kann, sende ich Ihnen dieses Fax. Die Teile lt. unserem obigen Auftrag hätten diese Woche geliefert werden sollen, wir haben sie aber leider bis heute nicht erhalten. Sie werden sich erinnern, dass wir bei Auftragserteilung ausdrücklich darauf hingewiesen haben, dass der Liefertermin unbedingt eingehalten werden muss, da wir unsererseits unseren Abnehmern gegenüber im Wort stehen. Ich bitte Sie dringend, alles zu unternehmen, dass wir die bestellten Teile in der ersten Hälfte der nächsten Woche erhalten, da wir sonst gezwungen wären, Schadenersatz wegen verspäteter Lieferung zu verlangen. Bitte lassen Sie mich umgehend wissen, ob wir mit dem Eingang der Sendung bis nächsten Mittwoch rechnen können.

Mit freundlichem Gruß

Kunzmann

10.2.2 Mahnung mit Fristsetzung

Giuliani S.r.l.
Frau Coloma
Via San Paolo 15

I-20121 Milano

11. 06. 20--

Sehr geehrte Frau Coloma,

am 15. 02. bestellte ich bei Ihnen 15 Garnituren Korbmöbel, die bis Ende April hätten geliefert werden sollen. Als ich die Lieferung am 15. 05. anmahnte, erhielt ich einen Anruf von Herrn Orsetti, der fest versprach, die Korbmöbel bis 10. 06. zu liefern. Auch diese Zusage wurde nicht eingehalten.

Der Lieferungsverzug bringt mich in große Verlegenheit. Es ist für mich sehr unangenehm, meine Kunden immer wieder vertrösten zu müssen. Als letzten Termin für die Lieferung setze ich nun den 10. 07. fest. Sollte die Ware später eintreffen, werde ich die Annahme verweigern. Außerdem behalte ich mir das Recht vor, Sie für alle Ausfälle haftbar zu machen, die mir durch den Verlust von Kunden entstehen.

Ich bin überzeugt, dass Sie alles tun werden, um eine Beeinträchtigung unserer bisher so angenehmen Geschäftsbeziehungen zu vermeiden.

Mit freundlichen Grüßen
Italo-Möbel Grüntner oHG

10.2.3 Beschwerde über Rückstände bei Stofflieferungen

Sehr geehrter Herr Maillet,

obwohl wir auch für dieses Frühjahr sehr frühzeitig disponiert haben, lassen Sie uns erneut mit den Lieferungen im Stich.

Unser Auftrag Nr. 3/188 vom 29. 06. 20--, den Sie am 05. 07. 20-- bestätigten, wurde wirklich so frühzeitig erteilt, dass Sie die angegebene Lieferzeit „15. 02. 20--" hätten einhalten können. Trotzdem bringen Sie (Rechnung Nr. 11792 vom 16. 03.) immer noch Ware zur Auslieferung. Außerdem sind noch bedeutende Rückstände offen.

Als Anlage senden wir Ihnen Debet-Nota Nr. 3642 vom 21. 03., da wir die Lieferung zu der erwähnten Rechnung nur mit 10 % Preisnachlass übernehmen. Außerdem haben wir die Faktura per 05. 07. valutiert.

Wir weisen darauf hin, dass wir weitere Rückstände aus dem oben angeführten Auftrag nur mit 10 % Preisermäßigung und mit Valuta 05. 08. übernehmen. Davon ausgeschlossen sind die Rückstände in den Artikeln 7834 und 5152 auf Blatt 4. Wir bitten Sie, diese zu streichen.

Wir bedauern sehr, dass es auch diesmal wieder zu Verzögerungen gekommen ist, und ersuchen Sie, sich genau an unsere Bedingungen zu halten, da wir sonst die Annahme aller noch rückständigen Stücke verweigern müssten.

Mit freundlichen Grüßen

10.2.4 Ausstehende Lieferungen

E-Mail	☒

from: Christa Lagler kploh@global.co.za	to: Frau Neuser mneuser@hueber.de
subject: Bestellungen	date: June 20-- 09.37

Kundennummer 8403
Rechnung 08020334 v. 2.2. 20--

Liebe Frau Neuser,

seit unserer Bestellung vom 31.1. 20-- warten wir und somit auch unsere Kunden auf die Bücher, die am Goethe-Institut verwendet werden.

Zuerst kam eine Vorausrechnung (obwohl wir seit vielen Jahren Kunde sind), die wir sofort bezahlten (3. 2.) Dann hörten wir nichts mehr und nahmen an, dass die Bücher unterwegs sind. Schließlich wurden wir aber skeptisch und fragten nach (4. 5.) Erst dann erfuhren wir, dass unsere Zahlung angeblich nicht angekommen ist. Wir haben uns sofort bei der Bank erkundigt, aber die Nachforschungen dauern – wie immer – sehr lange. Deshalb baten wir am 8. 5. dringend um Lieferung der bestellten Bücher.

Am 3. 6. bestellten wir Hörtexte, die natürlich auch dringend benötigt werden. Heute ist schon der 20. 6. und wir haben noch immer keinen Bescheid von Ihnen, ob die Lieferungen unterwegs sind oder nicht.

Wir wissen nicht, was wir unseren ungeduldigen Kunden sagen sollen. Wie können wir Kundendienst geben, wenn wir keinen bekommen? Wir hoffen sehr, dass Sie Verständnis für unsere Not haben und uns unverzüglich über den Stand der Dinge informieren werden.

Viele Grüßen von Christa Lagler

10.3   Briefbausteine

In unserer Bestellung haben wir ausdrücklich darauf hingewiesen, dass die Waren bis spätestens … hier eintreffen müssen. Wir haben bisher aber noch keine Versandanzeige von Ihnen erhalten.

Ihr Lieferungsverzug bringt uns in eine schwierige Lage.

Wir müssen Sie bitten, alle unsere Bestellungen, bei denen noch Lieferrückstände bestehen, als vorrangig zu behandeln.

Teilen Sie uns bitte umgehend mit, wann die Waren verschifft werden können.

Sorgen Sie bitte dafür, dass die Ware bis … hier eintrifft.

Wenn die Sendung nicht bis … eintrifft, muss ich die Annahme ablehnen.

Wir sehen uns leider gezwungen, Ihnen eine Nachfrist bis … zu setzen. Wenn wir die Ware bis dahin nicht zur Verfügung haben, werden wir unseren Bedarf anderweitig decken und Ihnen die Mehrkosten in Rechnung stellen.

Falls die Teile nicht bis … geliefert werden, sehe ich mich gezwungen, diese von einem anderen Lieferanten zu beschaffen und Sie für etwaigen Schaden in Anspruch zu nehmen.

10.4   Übungen

10.4.1 Briefreihe IV, d (← 5.2.2, → 11.2.1)

Da Dupont & Cie. S.A. am 17. 2. 20--, fast 5 Monate nach der Auftragsbestätigung durch die Maschinenfabrik Neumann AG, noch keine Meldung über die Versandbereitschaft der bestellten Maschine erhalten hat, erinnert Louis Lefèvre die Maschinenfabrik an die vereinbarte Lieferfrist. Er weist darauf hin, dass die Maschine dingend benötigt wird, und bittet Neumann, umgehend mitzuteilen, wann mit der Lieferung zu rechnen ist.

10.4.2 Bertolini & Figli, Mailand, an Förg & Co. GmbH, Augsburg

Bertolini bestellte am 12. 2. (Bestellung Nr. 6712) 15 Bodenfräsen bei Förg. Vereinbarte Lieferzeit: 4 Wochen. Da die Lieferung am 25. 3. noch nicht erfolgt ist, mahnt Bertolini die Lieferung an.

Die Mahnung vom 25. 3. bleibt unbeantwortet. Bertolini setzt daher eine Frist bis zum 15. 4. und droht damit, die Annahme der Geräte zu verweigern, wenn diese Frist nicht eingehalten wird.

Entwerfen Sie die beiden Mahnungen von Bertolini & Figli.

11 Lieferstörungen: Verkäufer an Käufer

11.1 Einleitung

Wenn der Käufer eine ausstehende Lieferung anmahnt, sollte sich der Verkäufer entschuldigen, die Gründe für die Verzögerung nennen und mitteilen, wann er liefern kann. Vielleicht ist es ihm auch möglich, eine Teilsendung durchzuführen. Falls dem Verkäufer eine Nachfrist gesetzt wurde, wird er sich bemühen, diese einzuhalten. Sollte ein Fall höherer Gewalt vorliegen oder der Verkäufer sich aus anderen Gründen nicht in der Lage sehen, seinen Lieferverpflichtungen nachzukommen, teilt er dies dem Käufer ebenfalls mit.

Statt zu warten, bis er gemahnt wird, sollte der Verkäufer, wenn er aus irgendeinem Grund nicht oder nicht rechtzeitig liefern kann, dem Käufer rechtzeitig Bescheid geben und – wenn möglich – konstruktive Vorschläge für eine Lösung des Problems machen.

11.2 Musterbriefe

11.2.1 Briefreihe IV, e (← 10.4.1)

Herrn Direktor
Louis Lefèvre
Dupont & Cie. S.A.
avenue du Général Leclerc

F-9350 Pantin

21. Januar 20--

Sehr geehrter Herr Lefèvre,

wir beziehen uns auf Ihr Schreiben vom 17. Januar, in dem Sie die Lieferung der von Ihnen bestellten Fräs- und Bohrmaschine anmahnen.

Die Maschine konnte leider nicht fristgerecht fertig gestellt werden, da bestimmte Teile der elektronischen Ausrüstung nicht rechtzeitig zur Verfügung standen. Unser Zulieferer war so mit Aufträgen überhäuft, dass er nicht in der Lage war, seine Liefertermine einzuhalten. Soeben haben wir jedoch erfahren, dass die Teile an uns abgegangen sind. Die Maschine dürfte daher innerhalb der nächsten 14 Tage versandbereit sein. Das genaue Lieferdatum teilen wir Ihnen dann noch telefonisch mit.

Bitte entschuldigen Sie, dass wir Sie nicht schon früher von diesen Schwierigkeiten in Kenntnis gesetzt haben, aber unser Zulieferer hat uns von Woche zu Woche vertröstet.

Wir bedauern diese Verzögerung sehr und hoffen, dass sie Ihnen keine allzu großen Unannehmlichkeiten bereitet.

Mit freundlichen Grüßen
Maschinenfabrik Neumann AG
ppa. Möller ppa. Schneider

11.2.2 Entschuldigung wegen verspäteter Lieferung

Sehr geehrte Frau Fernandez,

gestern erhielten wir Ihr Schreiben vom 14.03., in dem Sie sich wegen der von Ihnen am 20.02. bestellten Ersatzteile erkundigen. Bei der sofortigen Nachprüfung der Angelegenheit stellte sich heraus, dass unsere Versandabteilung aus Versehen ein späteres Lieferdatum vorgemerkt hatte.

Die Ersatzteile sind heute morgen per Luftpost an Ihre Anschrift abgegangen. Wir bitten Sie höflich, das Versehen zu entschuldigen.

Mit freundlichen Grüßen

11.2.3 Ankündigung einer Lieferverzögerung

ELS Electronic Assembly Ltd.
On Lok Yuen Bldg.
35 des Vœux Road, C

Hong Kong

Attention: Mr. Lee   15. 08. 20--

Sehr geehrter Herr Lee,

zu unserem Bedauern müssen wir Ihnen mitteilen, dass es uns nicht möglich ist,
die von Ihnen am 02. 07. bestellten Messgeräte innerhalb der vereinbarten Frist zu
liefern.

Wegen des Facharbeitermangels ist es für uns z. Z. sehr schwierig, unseren Lieferverpflichtungen nachzukommen. Wir sind jedoch nach Kräften bemüht, vor
allem unsere Auslandsaufträge mit so geringer Verzögerung wie möglich auszuliefern. Obwohl wir erwarten, dass es uns gelingen wird, unseren Auftragsrück-
stand in etwa 4 Wochen aufzuarbeiten, ist doch damit zu rechnen, dass sich maxi-
mal Verzögerungen bis zu 6 Wochen ergeben. Wir wären Ihnen daher sehr dankbar, wenn Sie durch Ihre Bank die Verlängerung des zu unseren Gunsten eröffneten
Akkreditivs um 6 Wochen veranlassen könnten.

Es tut uns sehr Leid, Ihnen Unannehmlichkeiten verursachen zu müssen, und wir
bitten Sie um Verständnis für unsere schwierige Lage. Um das leidige Problem
der Lieferverzögerungen aus der Welt zu schaffen, werden wir demnächst weitere
Teile unserer Fertigung automatisieren. Bis dahin müssen wir Sie um Geduld und
Nachsicht bitten.

Mit freundlichen Grüßen
Schwaiger Messtechnik AG

11.3 Briefbausteine

Wir bedauern sehr, dass wir wegen Schwierigkeiten bei der Materialbeschaffung den vereinbarten Liefertermin nicht einhalten konnten. Die Schwierigkeiten sind nun behoben, so dass die Lieferrückstände innerhalb der nächsten 14 Tage aufgeholt werden können.

Wir können gut verstehen, dass Sie wegen der Terminüberschreitung ungehalten sind.

Die Verzögerung ist auf die außergewöhnlich lebhafte Nachfrage in den letzten Monaten zurückzuführen.

Da ein Fall höherer Gewalt vorliegt, müssen wir es ablehnen, für den Ihnen entstandenen Schaden aufzukommen.

Nach Eingang Ihres Schreibens setzten wir uns sofort mit der Reederei in Verbindung und erfuhren dort, dass MS „Christine" wegen eines Maschinenschadens nicht auslaufen könnte.

Sie können versichert sein, dass wir alles tun werden, die Fertigstellung der Geräte zu beschleunigen / ... die Geräte bis zum ... zur Verschiffung bereitzustellen.

Artikel Nr. 1267 können wir Ihnen bereits in den nächsten Tagen liefern. Die übrigen Artikel erhalten Sie in ca. 10 Tagen.

Wir bedauern, Ihnen mitteilen zu müssen, dass sich die Auslieferung Ihres Auftrags verzögern wird.

Zu unserem großen Bedauern können wir Ihnen die bestellten Teile nicht fristgemäß liefern.

Wegen eines wilden Streiks ist es uns leider nicht möglich, den vereinbarten Liefertermin einzuhalten.

Wir hoffen auf Ihr Verständnis für unsere derzeitige schwierige Lage.

11.4 Übungen

11.4.1 Oliveira & Irmãos, Coimbra, an A. L. Kallmann KG, München

Oliveira & Irmaos, Hersteller von Glas- und Keramikwaren, erhält ein Schreiben von A. L. Kallmann KG, in der diese eine Sendung anmahnt, die bereits Mitte April hätte geliefert werden sollen.

In ihrer Antwort entschuldigt sich die portugiesische Firma und weist darauf hin, dass sie wegen des Ausfalls eines Brennofens in Schwierigkeiten geraten ist. Sie kann aber einen Teil der bestellten Waren in der nächsten Woche liefern. Die Restlieferung erfolgt voraussichtlich in 14 Tagen.

11.4.2 OY Lahtinen AB, Helsinki, an Kleiber oHG, Bremen

Kleiber oHG bestellte vor 2 Monaten Saunas aus Fertigteilen, vereinbarte Lieferzeit: 6 Wochen – derzeit Streik in der Holz verarbeitenden Industrie Finnlands – Verhandlungen mit den Gewerkschaften sehr schwierig – Ende des Streiks noch nicht absehbar – bei längerer Streikdauer könnte sich die Fertigstellung der Saunas verzögern.

11.4.3 Tatrachem a. s., Bratislava (Slowakische Republik), an Reiter Betonwerke AG, Passau

Tatrachem wendet sich an Reiter wegen Auftrag 6993-378 vom 29. 10. 20-- und kündigt eine Verzögerung bei der Lieferung der bestellten Polymerbetonrohre um etwa eine Woche an. Grund: Erkrankung von zwei Spezialisten und die Notwendigkeit, Ersatzkräfte einzusetzen, deren Einarbeitung mehrere Tage dauert. Daher Lieferung am 08. 12. und nicht – wie vereinbart – Ende November. Tatrachem entschuldigt sich und bietet Reiter als Entschädigung für die verspätete Lieferung einen Preisnachlass von 5 % an.

12 Mangelhafte Lieferung: Käufer an Verkäufer

12.1 Einleitung

Eine Lieferung ist mangelhaft, wenn die falsche Ware geliefert wurde, die Ware Qualitätsmängel aufweist, beschädigt oder verdorben ist oder die gelieferte Menge nicht dem Vertrag entspricht. Mängel, die bei der Prüfung der Ware sofort erkennbar sind, nennt man „offene Mängel", im Gegensatz zu den „versteckten Mängeln", die erst später festgestellt werden.

Wenn der Käufer Mängel feststellt, muss er sie „rügen", d. h. dem Verkäufer anzeigen. Diese Mitteilung bezeichnet man im Handelsrecht als „Mängelrüge", während Kaufleute meist von „Beschwerde" oder „Reklamation" sprechen. Für die Eingangsprüfung der Ware und das Rügen von Mängeln gibt es gesetzliche Vorschriften, deren Beachtung die Voraussetzung dafür ist, dass der Käufer Rechte aus der mangelhaften Lieferung gegen den Verkäufer geltend machen kann.

Auch die Gewährleistungspflicht des Verkäufers für Mängel an den von ihm verkauften Waren ist gesetzlich geregelt. Im Handelsverkehr werden die gesetzlichen Gewährleistungsansprüche des Käufers jedoch häufig durch vertragliche Regelungen (*Garantieklauseln*) ersetzt. Diese sehen die kostenlose Beseitigung von Material- und Verarbeitungsfehlern vor, die innerhalb der vereinbarten Garantiezeit auftreten.

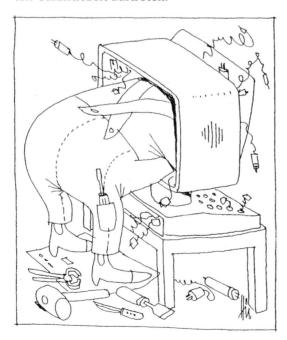

„Die mangelhafte Qualität des von Ihnen gelieferten Geräts erfordert immer wieder umfangreiche Reparaturen."

12.2 Musterbriefe

12.2.1 Briefreihe V, d (← 8.4.3, → 13.4.1)

Peter Petersen A/S
DK-8800 Viborg

20.6.20--

Bestellung Nr. 4679

Sehr geehrter Herr Petersen,

die unter obiger Nummer bestellten Möbel – 2 Tische Nr. 234, Eiche geräuchert, und 8 Stühle Nr. 236, Eiche geräuchert, schwarze Ledersitze – haben wir heute erhalten.

Leider mussten wir beim Auspacken der Stühle feststellen, das 4 der Ledersitze stark verkratzt sind. Unser Kunde lehnt es ab, die Stuhlsitze in diesem Zustand abzunehmen. Wir bitten Sie deshalb, uns umgehend 4 Ersatzstücke zuzusenden, wenn möglich per Express.

Bitte teilen Sie uns mit, was wir mit den verkratzten Sitzen machen sollen.

Mit freundlichen Grüßen
Günther Friedrich KG

12.2.2 Beschwerde wegen teilweiser Falschlieferung und Glasfehlern

Sehr geehrter Herr Navratil,

wir bestätigen den Empfang Ihrer Sendung vom 17.07., müssen Ihnen aber zu unserem Bedauern mitteilen, dass Sie zu den 250 grünen Suppentassen dunkelblaue Untertassen geliefert haben. Außerdem weisen 215 der 500 Whisky-Gläser kleine Bläschen im Glas auf.

Die dunkelblauen Untertassen stellen wir Ihnen zur Verfügung und bitten Sie, uns stattdessen so bald wie möglich 250 grüne Untertassen zu senden. Whisky-Gläser mit Fehlern können wir nur zu erheblich reduziertem Preis absetzen. Wir sind daher nur bereit, die Gläser zu behalten, wenn Sie den Preis um 50 % ermäßigen. Anderenfalls müssten wir die Annahme der fehlerhaften Gläser ablehnen.

Für Ihre umgehende Stellungnahme wären wir dankbar.

Mit freundlichen Grüßen

12.2.3 Beschwerde wegen Fehlmenge – Kürzung der Rechnung

Sehr geehrte Frau Marcelli,

auf unsere Bestellung Nr. 8721 über 150 Flaschen Kräuteressig vom 01. 07. erhielten wir heute durch Ihren Spediteur 5 Kartons mit je 25 Flaschen. Wie wir anhand Ihrer Rechnung feststellen, haben Sie uns aber nicht 125, sondern 150 Flaschen berechnet. Anscheinend ist Ihnen hier ein Versehen unterlaufen. Wir ließen uns die Minderlieferung von 25 Flaschen von Ihrem Spediteur bestätigen. Eine Kopie seiner Bestätigung legen wir bei.

Wir haben Ihre Rechnung um den Wert der fehlenden Flaschen – ... EUR – gekürzt und senden Ihnen einen Scheck über den Restbetrag von ... EUR.

Mit freundlichen Grüßen

Anlagen

12.2.4 Mengendifferenzen

E-Mail ☒

Mail von:	Joanna Ostendorf-Przedpelski (hueber@it.com.pl)
an:	Peter Prokopy (prokopy@hueber.de)
Betreff:	Mengendifferenzen

Gesendet am: 16. 05. 20--   14:34

Hallo, Peter,

endlich haben wir die Bücher erhalten, die so lange im Zoll steckten.
Leider mussten wir feststellen, dass die Anzahl der gelieferten Bücher nicht
mit den auf den Rechnungen angegebenen Mengen übereinstimmt.

1. Rechnung Nr. 08023352 vom 14. 04., Seite 001:
80 Ping Pong 1, Edycja Polska Arbeitsbuch – kein einziges Exemplar ist
angekommen

2. Rechnung Nr. 08024683 vom 29. 03., Seite 002:
110 Ping Pong 1 Lehrerhandbuch – 105 sind angekommen
160 Tangram 1A Lehrerhandbuch – 105 sind angekommen
85 Plus Deutsch 1 – 55 sind angekommen

Ich möchte dich bitten, der Sache nachzugehen. Wie ist es möglich, dass
die gelieferten Mengen von den Zahlen auf den Rechnungen abweichen?

In zwei Wochen finden zwei Tangram-Präsentationen statt (in Katowice
und Raciborz). Könntest du bitte veranlassen, dass wir bis dahin die
fehlenden 55 Tangrams bekommen?

Viele Grüße
Joanna

12.3   Briefbausteine

Wir müssen Ihnen leider mitteilen, dass Ihre letzte Sendung nicht zu unserer
Zufriedenheit ausgefallen ist.

Bei der Prüfung der Sendung stellte ich fest, dass ... fehlten / beschädigt waren.
Wir haben ein Fehlgewicht von ... kg festgestellt.

Ein Teil der Waren ist auf dem Transport beschädigt worden.

Der Schaden ist anscheinend auf ungenügende Verpackung zurückzuführen.

Die Gartentische sind in ihrem derzeitigen Zustand unverkäuflich.

Wir stellen Ihnen die mangelhaften Waren zur Verfügung.

Wir sind bereit, die Waren zu behalten, wenn Sie uns einen Nachlass von
20 % gewähren.

Bitte senden Sie uns so bald wie möglich Ersatz für die beschädigten Waren.

Wir bestehen auf kostenlosem Umtausch der schadhaften Artikel ... /
auf Zahlung einer angemessenen Entschädigung.

Sollten Sie nicht in der Lage sein, den Fehler umgehend zu beheben, werden
wir die Reparatur auf Ihre Kosten durchführen lassen.

Wir behalten uns das Recht vor, Ersatz für den uns entstandenen Schaden
zu fordern.

Die Angelegenheit hat uns große Unannehmlichkeiten bereitet.

Wir hoffen, dass sich derartige Vorkommnisse in Zukunft vermeiden lassen.

Wir erwarten, dass Sie unsere Aufträge künftig mit größerer Sorgfalt ausführen werden.

12.4 Übungen

12.4.1 Gutiérrez y Hnos. S.A., Barcelona, an Braun & Söhne oHG, Augsburg

Gutiérrez y Hnos. hat von Braun & Söhne ein Bearbeitungszentrum gekauft, das am 6.9. in Barcelona eintraf. Kurze Zeit nach Inbetriebnahme ergaben sich Störungen beim Wechseln der Werkzeuge. Die spanische Firma wendet sich daher an die Lieferfirma. Sie legt ihrem Schreiben ein in ihrem Hause erstelltes Prüfungsprotokoll bei und bittet die Lieferfirma, zur Beseitigung der Mängel einen Kundendiensttechniker nach Barcelona zu entsenden, wobei sie auch erwähnt, dass die Arbeiten unter Garantie zu leisten sind.

12.4.2 Bradley plc, London, an Leitner Sportgeräte KG, München

Bradley hat von Leitner 25 Ergometer „Cardiotrainer" bestellt, die vor einigen Tagen durch den Spediteur angeliefert worden sind. Bei der Eingangsprüfung wurde festgestellt, dass bei 8 der gelieferten Cardiotrainer die Elektronik nicht einwandfrei arbeitet. Die Anzeige der Pedalumdrehungen, der Wattleistung und der Pulsrate ist nicht zuverlässig. Bradley verlangt daher umgehend kostenlosen Ersatz für die fehlerhaften Computer. Die Kosten für den Austausch der Computer, der durch das eigene Personal von Bradley vorgenommen werden kann, werden Leitner berechnet. Die letzte Woche für 15 weitere Cardiotrainer erteilte Zusatzbestellung soll Leitner vorerst zurückstellen.

12.4.3 John Pollman, Chicago, an Trachtenhaus Bergmeier e.K., Bad Wiessee

Während seines Urlaubs kaufte John Pollman im Trachtenhaus Bergmeier einen bayerischen Trachtenanzug für seinen 7-jährigen Sohn. Er zahlte sofort und bat das Trachtenhaus, den Anzug an seine Heimatanschrift zu senden. Als er nach seiner Rückkehr aus dem Urlaub das Paket erhielt, stellte er fest, dass der Anzug dem Jungen viel zu klein war (Größe 128 statt der bestellten Größe 134). John Pollman sendet den Anzug zurück und bittet um Umtausch oder Rückerstattung des Kaufpreises. Außerdem verlangt er Ersatz für seine Auslagen.

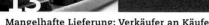

13 Mangelhafte Lieferung: Verkäufer an Käufer

13.1 Einleitung

Eine von einem Kunden eingehende Beschwerde wird vom Lieferanten sorgfältig geprüft. Wenn sie berechtigt ist, entschuldigt sich der Lieferant bei seinem Kunden und bringt die Angelegenheit so bald wie möglich in Ordnung. Unberechtigte Beschwerden werden im Allgemeinen zurückgewiesen. Es kommt aber auch vor, dass der Lieferant in unklaren Fällen oder um einen guten Kunden nicht zu verlieren, eine Beschwerde auf dem Kulanzwege regelt.

Transportschäden oder -verluste sind der Versicherungsgesellschaft zu melden, bei der die Sendung versichert wurde. Manchmal kommt es zu Meinungsverschiedenheiten zwischen Verkäufer und Käufer, z. B. wegen der Qualität. Wenn sich die Vertragspartner nicht einigen können, müssen sie sich an ein ordentliches Gericht oder ein Schiedsgericht wenden.

13.2 Musterbriefe

13.2.1 Kartonagenfabrik gewährt Preisnachlass wegen fehlerhafter Lieferung

Sehr geehrter Herr Dragasic,

ich beziehe mich auf Ihren Anruf vom 27.04., bei dem Sie mir mitteilten, dass die letzte Sendung Kartonagen zu etwa einem Viertel aus Ausschuss bestand.

Wir haben den Fall untersucht und dabei festgestellt, dass bei einer unserer Maschinen Störungen aufgetreten sind. Allerdings hätten die fehlerhaften Faltkartons spätestens bei der Versandkontrolle entdeckt werden müssen. Dieses Versehen ist uns sehr peinlich, und wir bitten Sie höflich um Entschuldigung. Wir haben bereits Maßnahmen getroffen, um derartige Vorkommnisse in Zukunft zu verhindern.

Unter diesen Umständen erklären wir uns natürlich mit Ihrem Vorschlag eines 25 %igen Preisnachlasses einverstanden und legen eine Rechnung über den ermäßigten Betrag bei. Die alte Rechnung ist somit hinfällig.

Wir hoffen, die Angelegenheit zu Ihrer vollen Zufriedenheit erledigt zu haben, und bitten Sie, uns auch in Zukunft wieder Ihr Vertrauen zu schenken.

Mit freundlichen Grüßen

Anlage

13.2.2 Hersteller lehnt kostenlose Reparatur eines vom Vertreter eingesandten Telefaxgeräts ab

Sehr geehrte Frau Horvath,

wir danken Ihnen für Ihr Schreiben vom 10.10. und bestätigen den Erhalt des von Ihnen eingesandten Telefaxgeräts Alphafax 500, das nach Mitteilung Ihres Kunden nicht mehr funktioniert, obwohl er es erst 3 Wochen in Gebrauch hatte.

Bei der Prüfung des Geräts stellte unsere Reparaturabteilung fest, dass offensichtlich mit Heftklammern versehene Originale eingelegt wurden. In der Bedienungsanweisung wird ausdrücklich darauf hingewiesen, dass bei Kopier- und Übertragungsvorgängen alle Büro- und Heftklammern von den Originalen zu entfernen sind, da sonst Schäden am Gerät entstehen können. Sie werden daher verstehen, dass im vorliegenden Fall eine kostenlose Reparatur aufgrund unserer Garantiebedingungen nicht in Frage kommt. Wir sind natürlich gerne bereit, das Gerät instand zu setzen, müssten dafür aber ... EUR berechnen.

Bitte teilen Sie uns so bald wie möglich mit, ob Ihr Kunde damit einverstanden ist.

Mit freundlichen Grüßen

13.2.3 Lieferant verweist Kunden an Versicherungsgesellschaft

Sehr geehrter Herr Ramirez,

aus Ihrem Schreiben vom 22.09. haben wir erfahren, dass unsere letzte Sendung beschädigt ankam und ein Teil der Waren unbrauchbar ist.

Wir bedauern dieses Vorkommnis sehr, können jedoch kein Verschulden unsererseits feststellen, da wir wie immer auf sorgfältige Verpackung geachtet haben. Unserer Meinung nach kann der Schaden nur durch ein außergewöhnliches Ereignis entstanden sein.

Wir schlagen deshalb vor, dass Sie eine Schadensmeldung bei der Vertretung der Hamburger Seeversicherungs-AG in Manila einreichen.

Mit freundlichen Grüßen

13.3 Briefbausteine

Vielen Dank für Ihr Schreiben vom ..., aus dem wir erfuhren, dass bei Ihrem Kopiergerät Störungen aufgetreten sind.

Bitte senden Sie uns die beanstandete Ware zur Prüfung.

Die Ersatzlieferung wurde bereits an Sie abgesandt.

Ihrem Wunsch entsprechend gewähren wir Ihnen einen Nachlass von 10 %.

Wir ersetzen Ihnen selbstverständlich den entstandenen Schaden und hoffen auf Fortsetzung unserer guten Geschäftsbeziehungen.

Es liegt uns sehr viel daran, die Angelegenheit zu Ihrer vollen Zufriedenheit zu regeln.

Bitte entschuldigen Sie die Unannehmlichkeiten, die Ihnen durch unser Versehen entstanden sind. Wir werden alles tun, damit sich ein solcher Fehler nicht wiederholt.

Da die Prüfung keine Material- oder Verarbeitungsfehler ergab, fällt der Schaden nicht unter die Garantie.

Wir bedauern, dass wir in diesem Fall die Ware nicht zurücknehmen können.

Es liegt offensichtlich ein Bedienungsfehler vor, der sich bei genauer Beachtung unserer Bedienungsanleitung hätte vermeiden lassen.

Obwohl die Garantiezeit bereits abgelaufen ist, sind wir bereit, Ihnen entgegenzukommen und die notwendigen Reparaturen kostenlos durchzuführen.

Wie vereinbart, sind Streitigkeiten nach den Regeln der „Hamburger freundschaftlichen Arbitrage" beizulegen.

Wir haben Herrn Georg Tiedemann, Hamburg, zu unserem Schiedsrichter bestellt und bitten Sie, innerhalb einer Woche Ihrerseits einen Schiedsrichter zu benennen.

13.4   Übungen

13.4.1 Briefreihe V, e (← 12.2.1)

Auf die Beschwerde der Günther Friedrich KG schreibt Peter Petersen am 24. 6., dass er die Lieferung von 4 Ersatzstücken für die beschädigten Ledersitze als Expresspaket veranlasst hat. Er bedauert das Vorkommnis und weist darauf hin, dass die Möbel wie immer sorgfältig verpackt waren. Die beschädigten Sitze soll Friedrich der Speditionsfirma Hamann & Sohn in Frankfurt übergeben. (Dies ist der Korrespondent des dänischen Spediteurs, mit dem Petersen zusammenarbeitet.)

13.4.2. Crevier S.A., Brüssel, an Esslinger Metallwaren AG, Esslingen

Crevier liegt eine Beschwerde von Esslinger Metallwaren AG vor. Die deutsche Firma schreibt, dass bei der Verzinkanlage, die sie vor 3 Monaten über den deutschen Vertreter der belgischen Firma gekauft hat, wiederholt Störungen aufgetreten seien. Trotz mehrerer Reparaturen, die der Vertreter inzwischen durchgeführt hat, arbeitet die Anlage noch immer nicht einwandfrei. Esslinger Metallwaren habe den Umtausch der Anlage verlangt, der Vertreter habe sich aber bisher nicht dazu bereit gefunden.

Crevier teilt der deutschen Firma mit, dass sie einen ausführlichen Bericht von ihrem Vertreter angefordert hat und die Anlage unverzüglich gegen eine neue umtauschen wird, wenn es sich bestätigt, dass – wie es hier den Anschein hat – Mängel in der Verarbeitung vorliegen.

13.4.3 Mandelli s. r. l., Mailand, an Spielmann KG, Frankfurt/Main

Spielmann hat sich darüber beschwert, dass Mandelli statt der bestellten 20 Kopierer nur 15 geliefert hat, von denen zudem vier erhebliche Transportschäden aufweisen.

Entwerfen Sie die Antwort von Mandelli auf diese Beschwerde nach folgenden Stichworten:
Mandelli bedauert den Vorfall – Spielmann soll die beschädigten Geräte auf Kosten von Mandelli zurücksenden – was die Minderlieferung betrifft, so liegt offensichtlich ein Irrtum der Versandabteilung vor, für den sich Mandelli entschuldigt – die fehlenden fünf Geräte und Ersatz für die beschädigten vier Geräte werden noch heute per Luftfracht nach Frankfurt geliefert – Mandelli schließt mit dem Hinweis, dass die Zufriedenheit der Kunden stets das wichtigste Anliegen des Unternehmens sei.

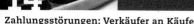

14 Zahlungsstörungen: Verkäufer an Käufer

14.1 Einleitung

Wenn der Käufer die vereinbarte Zahlungsfrist nicht einhält, wird er üblicherweise vom Verkäufer gemahnt, selbst dann, wenn der Verkäufer seine Ansprüche gegen den Käufer auch ohne Mahnung geltend machen kann. Auf die erste Mahnung folgen meist noch weitere Mahnungen, bevor eine letzte Frist für die Zahlung gesetzt und dem Käufer für den Fall, dass er diese Frist nicht einhält, gerichtliche oder sonstige Schritte angekündigt werden.

„Dies ist nur eine freundliche
Erinnerung an die noch offen
stehende Rechnung."

14.2   Musterbriefe

14.2.1   Briefreihe VI, c (← 5.2.3, → 15.4.1)

Der Max Hueber Verlag sendet The German Bookstore, Inc. am 5. 4. eine Mahnung.

Hueber

Max Hueber Verlag
International Sales

Max-Hueber-Straße 4
D-85737 Ismaning

Telefon: +49 - (0 89) 96 02-3 57
Telefax: +49 - (0 89) 96 02-3 54

Internet: http://www.hueber.de
E-Mail: prokopy@hueber.de

Hueber Verlagsgruppe · Postfach 11 42 · D-85729 Ismaning

The German Bookstore, Inc.
114 Nakano-cho, Setagaya-ku

Tokyo
Japan

Kontonummer:	75863
Datum:	05. 04. 20--
Seiten:	1

1. Mahnung

Rech.-nummer	Rech.-datum	fällig am	Rech.-betrag	geleistete Anzahlung	Rest-betrag	WÄ	Mahn-stufe
01002958	03. 02. 20--	03. 04. 20--	…	0,00	…	EUR	1
Gesamtforderung					…	EUR	

ZAHLUNGEN SIND BERÜCKSICHTIGT BIS   28. 03. 20--

Sicher ist es Ihrer Aufmerksamkeit entgangen, dass die oben aufgeführten Rechnungen noch nicht bezahlt sind.
Bitte überprüfen Sie unsere Aufstellung und überweisen Sie den fälligen Betrag in den nächsten Tagen.

Unsere Bankverbindungen:
HypoVereinsbank München   Kto. 36 102 500   BLZ 700 202 70
Postbank München   Kto. 362 38-803   BLZ 700 100 80

Mit freundlichen Grüßen

Ust (VAT)-Id-Nr. DE 130 002 447 · HypoVereinsbank München (BLZ 700 202 70) Kto. 36 102 500 · Postbank München (BLZ 700 100 80) Kto. 362 38-803
Max Hueber Verlag GmbH & Co KG, Amtsgericht München: HRA 49304 · Persönlich haftende Gesellschafterin: Sprachen-Hueber Verlagsges. mbH,
Amtsgericht München: HRB 45498 · Sitz der Gesellschaften: Ismaning · Geschäftsführung: Michaela Hueber

14.2.2 Zweite Mahnung

Hueber

Max Hueber Verlag
International Sales

Max-Hueber-Straße 4
D-85737 Ismaning

Telefon: +49 - (0 89) 96 02-3 57
Telefax: +49 - (0 89) 96 02-3 54

Internet: http://www.hueber.de
E-Mail: prokopy@hueber.de

Hueber Verlagsgruppe · Postfach 11 42 · D-85729 Ismaning

German Books
103, Akademias

GR-54781 Thessaloniki

----

2. Mahnung

Kontonummer:	34987
Datum:	05. 10. 20--
Seiten:	1

Rech.-nummer	Rech.-datum	fällig am	Rech.-betrag	geleistete Anzahlung	Rest-betrag	WÄ	Mahn-stufe
1056146	16. 06. 20--	16. 07. 20--	256,64	0,00	256,64	EUR	2
Mahnkosten					10,00	*	
Gesamtforderung					266,64	**	

ZAHLUNGEN SIND BERÜCKSICHTIGT BIS   27. 09. 20--

Trotz erfolgter Zahlungserinnerung können wir für die oben aufgeführten Rechnungen
bis zum Buchungstag keinen Zahlungseingang feststellen.
Bitte überweisen Sie unverzüglich den fälligen Betrag. Bei Unstimmigkeiten zwischen
Ihrer und unserer Kontoführung bitten wir umgehend um Mitteilung.

Unsere Bankverbindungen:
HypoVereinsbank München	Kto. 36 102 500	BLZ 700 202 70
Postbank München	Kto. 362 38-803	BLZ 700 100 80

Ust (VAT)-Id-Nr. DE 130 002 447 · HypoVereinsbank München (BLZ 700 202 70) Kto. 36 102 500 · Postbank München (BLZ 700 100 80) Kto. 362 38-803
Max Hueber Verlag GmbH & Co KG, Amtsgericht München: HRA 49304 · Persönlich haftende Gesellschafterin: Sprachen-Hueber Verlagsges. mbH,
Amtsgericht München: HRB 45498 · Sitz der Gesellschaften: Ismaning · Geschäftsführung: Michaela Hueber

14.2.3 Dritte Mahnung

Hueber

Max Hueber Verlag
International Sales

Max-Hueber-Straße 4
D-85737 Ismaning

Telefon: +49 - (0 89) 96 02-3 57
Telefax: +49 - (0 89) 96 02-3 54

Internet: http://www.hueber.de

E-Mail: prokopy@hueber.de

Hueber Verlagsgruppe · Postfach 11 42 · D-85729 Ismaning

International Bookshop Liebermann
Ashville Trading Estate
5 Warwick Street

London W1V 2AY

Kontonummer:	48112			
Datum:	05. 10. 20--			
3. Mahnung	Seiten:	1		

Rech.-nummer	Rech.-datum	fällig am	Rech.-betrag	geleistete Anzahlung	Rest-betrag	WÄ	Mahn-stufe
1056535	17. 05. 20--	16. 06. 20--	1.302,80	0,00	1.302,80	EUR	3
1066956	11. 08. 20--	10. 09. 20--	315,56	0,00	315,56	EUR	1
1066577	17. 08. 20--	16. 09. 20--	653,51	0,00	653,51	EUR	1
Mahnkosten					10,00	*	
Gesamtforderung					2281,87	**	

ZAHLUNGEN SIND BERÜCKSICHTIGT BIS   27. 09. 20--

Leider können wir trotz wiederholter Mahnung keinen Zahlungseingang feststellen.
Wir bitten Sie deshalb dringend um Ausgleich aller fälligen Beträge innerhalb von acht Tagen.
Sollten wir dann den angemahnten Betrag einschließlich Gebühren nicht erhalten haben,
sehen wir uns gezwungen, unseren Rechtsanwalt mit dem Einzug zu beauftragen.
Bitte haben Sie Verständnis dafür, dass wir Sie nur noch per Vorfaktur beliefern können.

Unsere Bankverbindungen:

HypoVereinsbank München	Kto. 36 102 500	BLZ 700 202 70
Postbank München	Kto. 362 38-803	BLZ 700 100 80

Ust (VAT)-Id-Nr. DE 130 002 447 · HypoVereinsbank München (BLZ 700 202 70) Kto. 36 102 500 · Postbank München (BLZ 700 100 80) Kto. 362 38-803
Max Hueber Verlag GmbH & Co KG, Amtsgericht München: HRA 49304 · Persönlich haftende Gesellschafterin: Sprachen-Hueber Verlagsges. mbH,
Amtsgericht München: HRB 45498 · Sitz der Gesellschaften: Ismaning · Geschäftsführung: Michaela Hueber

14.2.4 Zahlungserinnerung

Sehr geehrter Herr Brandsma,

wir möchten Sie darauf aufmerksam machen, dass unsere Rechnung vom 11. 09. noch offen steht. Für eine baldige Überweisung des fälligen Betrages wären wir Ihnen sehr dankbar.

Mit freundlichen Grüßen

14.2.5 Versteckte Mahnung

Sehr geehrte Frau Mirov,

haben Sie schon daran gedacht, sich für das Weihnachtsgeschäft einzudecken? Mit gleicher Post senden wir Ihnen unseren neuesten Katalog, der Ihnen einen Überblick über unser erweitertes Sortiment geben wird.

Dürfen wir Sie bei dieser Gelegenheit daran erinnern, dass unsere Rechnung Nr. 38456 vom 08. 07. bereits vor über einem Monat fällig war. Wir haben bis heute noch keine Überweisung von Ihnen erhalten und dürfen Sie daher um umgehende Erledigung bitten.

Wir würden uns freuen, bald von Ihnen zu hören, und versichern Ihnen, dass wir Ihre Aufträge mit der gewohnten Sorgfalt erledigen werden.

Mit freundlichen Grüßen

14.3   Briefbausteine

Bei der Durchsicht unserer Bücher stellten wir fest, dass auf Ihrem Konto noch ein Betrag von … offen steht.

Folgende Rechnung steht auf Ihrem Konto noch zur Zahlung offen: …
Für den Fall, dass diese verloren gegangen ist, senden wir Ihnen heute eine Kopie.

Wir möchten Sie an unsere Rechnung vom … erinnern, die offensichtlich Ihrer Aufmerksamkeit entgangen ist.

Für baldigen Ausgleich unserer Rechnung wären wir Ihnen sehr dankbar.

Mit meinem Schreiben vom … bat ich Sie um baldige Begleichung meiner Rechnung vom … über … Ich wiederhole heute meine Bitte.

Trotz unserer wiederholten Bitten um Begleichung der seit längerem fälligen Rechnung haben wir noch immer nichts von Ihnen gehört.

Leider sind Sie meinen Bitten um Begleichung des fälligen Rechnungsbetrages bisher nicht nachgekommen.

Zu unserem Bedauern bleibt uns nichts anderes übrig, als Ihnen eine Frist bis zum … zu setzen.

Sollte ich bis … nichts von Ihnen hören, werde ich die Forderung meinem Rechtsanwalt zum Einzug übergeben.

Falls die Zahlung nicht bis … eingeht, sehen wir uns zu unserem Bedauern gezwungen, gerichtliche Schritte gegen Sie einzuleiten.

14.4 Übungen

14.4.1 Lemaire & Cie., Luxemburg, an Seybold & Co., Hanau

Lemaire sendet am 14. 5. Seybold einen Kontoauszug, der einen offenen Saldo in Höhe von 7.670 EUR aufweist Da Seybold auf diese Zahlungserinnerung nicht reagiert, mahnt Lemaire die Zahlung Ende Mai erneut an.

Entwerfen Sie das Begleitschreiben zum Kontoauszug und die Mahnung von Lemaire & Cie.

14.4.2 Olav Nyquist, Oslo, an Stratmann KG, Lübeck

Nyquist sandte vor 5 Wochen Stratmann eine Sendung norwegischer Wollpullover im Wert von ca. 5.000 Euro. Als Zahlungsbedingung war Banküberweisung innerhalb 30 Tagen abzüglich 3 % Skonto vereinbart. Bis zum heutigen Tag ist das Geld jedoch noch nicht bei der Bank eingetroffen. Nyquist sendet daher eine 1. Mahnung an Stratmann.

Es verstreichen zwei weitere Wochen, ohne dass eine Zahlung oder eine Nachricht von Stratmann eingeht. Nyquist verschickt eine 2. Mahnung und setzt eine Frist von 2 Wochen für die Zahlung.

Darauf meldet sich Stratmann, kündigt eine Zahlung von 1.500 Euro an und bittet um Stundung des Restbetrages um 30 Tage. Begründung: Wegen des milden Winters gehe Winterbekleidung nur schleppend, wodurch ein finanzieller Engpass entstanden sei.

Nyquist schreibt zurück, dass Zahlungsziele nur unter der Voraussetzung pünktlicher Zahlung gewährt werden können. Bei den äußerst knapp kalkulierten Exportpreisen muss Nyquist auf prompten Zahlungseingang achten. In Anbetracht der bisherigen guten Geschäftsbeziehungen mit Stratmann ist Nyquist jedoch ausnahmsweise bereit, der Bitte um Stundung stattzugeben. Künftige Bestellungen werden aber nur noch gegen Nachnahme oder Vorauskasse abgewickelt.

15 Zahlungsstörungen: Käufer an Verkäufer

15.1 Einleitung

In seiner Antwort auf die Mahnung erklärt der säumige Schuldner die Gründe für den Zahlungsverzug und entschuldigt sich. Falls die Rechnung übersehen wurde, teilt er mit, dass die Zahlung inzwischen veranlasst worden ist. Sollte sich der Schuldner vorübergehend in finanziellen Schwierigkeiten befinden, so bittet er um einen Zahlungsaufschub. Falls es ihm möglich ist, leistet er eine Abschlagszahlung. Ein Schuldner, dem es nicht möglich ist, seine Schulden prompt zu begleichen, sollte nicht warten, bis er gemahnt wird, sondern sich rechtzeitig mit seinem Gläubiger in Verbindung setzen und versuchen, mit diesem zu einer Einigung zu gelangen.

15.2 Musterbriefe
15.2.1 Entschuldigungsschreiben

Sehr geehrte Frau Lawson,

wir haben Ihr Schreiben vom 06. 02. bezüglich Ihrer Rechnung vom ... über ... erhalten.

Unsere Buchhaltungsabteilung wurde vor etwa 3 Wochen in unser neues Verwaltungsgebäude verlegt. Als Folge der Umzugsarbeiten ist Ihre Rechnung leider übersehen worden.

Wir haben heute unsere Bank angewiesen, den fälligen Betrag auf Ihr Konto zu überweisen, und bitten Sie höflich, die Verzögerung zu entschuldigen.

Mit freundlichen Grüßen

15.2.2 Antwort auf Mahnung und Bitte um Restlieferung

Unser Auftrag Nr. 550 vom 08. 10.
Ihre Rechnung Nr. 3130 vom 05. 12.

Sehr geehrter Herr Sprüngli,

wir bestätigen den Eingang Ihres Schreibens vom 21. 01. und teilen Ihnen mit, dass wir den Betrag der obigen Rechnung bereits am 18. 01. überwiesen haben. In der Annahme, dass der Betrag inzwischen bei Ihnen eingegangen ist, bitten wir Sie, die Restlieferung unseres Auftrags so schnell wie möglich vorzunehmen.

Mit freundlichen Grüßen

15.2.3 Bitte um Wechselprolongation

Sehr geehrte Frau Gravier,

leider ist es uns nicht möglich, unser Akzept über ..., fällig am 15. 03., bei Verfall einzulösen.

Der unerwartete Konkurs eines unserer Kunden verursachte uns größere Verluste, wodurch sich unsere finanzielle Lage vorübergehend verschlechtert hat. Unsere vollen Auftragsbücher geben uns jedoch die Gewissheit, dass wir bald wieder über genügend flüssige Mittel verfügen werden. Wir wären Ihnen sehr dankbar, wenn Sie den Wechsel bis 15. 05. prolongieren könnten. Wir sind bereit, die Wechselsumme mit ... % zu verzinsen.

Wir hoffen auf Ihr Entgegenkommen und sagen Ihnen schon heute unseren besten Dank.

Mit freundlichen Grüßen

15.2.4 Bitte um Stundung

Sehr geehrter Herr Metzinger,

wir beziehen uns auf Ihr Schreiben vom 22. 06., in dem Sie uns an die seit 4 Wochen fällige Rechnung über ... erinnern.

Leider ist es für uns derzeit sehr schwierig, den gesamten Betrag zu begleichen, da wir mit großen Absatzschwierigkeiten zu kämpfen haben. Fast die gesamte Menge Ihrer letzten Lieferung liegt noch unverkauft in unserem Lager. Wir senden Ihnen daher einen Scheck über ... als Abschlagszahlung und wären Ihnen sehr dankbar, wenn Sie uns den Restbetrag bis Mitte August stunden könnten. Wir erwarten in den nächsten Wochen einige größere Zahlungen, so dass es uns zum genannten Termin sicher möglich sein wird, unsere Verbindlichkeiten zu erfüllen.

Wir hoffen, dass Sie Verständnis für unsere schwierige Lage haben und sich bereit finden werden, unserer Bitte um Stundung zu entsprechen.

Mit freundlichen Grüßen

Anlage

15.3 Briefbausteine

Es tut uns sehr Leid, dass es uns bisher nicht möglich war, Ihre Rechnung vom ... zu begleichen.

Bedingt durch sinkende Umsätze und steigende Rohstoffpreise, ist unsere finanzielle Lage derzeit sehr angespannt.

Wir haben große Schwierigkeiten beim Einzug unserer Außenstände.

Wir haben heute als Abschlagszahlung auf die obige Rechnung ... EUR auf Ihr Konto überwiesen und bitten Sie, uns die Restschuld von ... EUR zu stunden. Die Begleichung dieses Betrages erfolgt in zwei Raten wie folgt: ...

Sie können sich darauf verlassen, dass wir den offenen Saldo bis Ende Mai ausgleichen werden.

Sie wissen, dass ich meine Rechnungen bisher immer pünktlich bezahlt habe. Ich hoffe daher, dass Sie meinem Vorschlag zustimmen werden.

15.4 Übungen

15.4.1 Briefreihe VI, d (← 14.2.1)

Nach Eingang der Mahnung des Max Hueber Verlags stellt The German Bookstore, Inc. fest, dass die Rechnung vom 3.2. übersehen wurde. Die Buchhandlung entschuldigt sich und teilt mit, dass sie ihre Bank beauftragt hat, den Betrag der Rechnung zu überweisen.

15.4.2 Burns & Smith Ltd., Toronto, an ENAX GmbH, Regensburg

Burns kann die am 10.10. fällige Rechnung über 89.419,00 CAD nicht in voller Höhe begleichen – Grund: Liquiditätsanspannung durch Umstrukturierung – bietet Zahlung der Hälfte bei Fälligkeit an – bittet ENAX, für den Restbetrag auf die Commercial Bank of Ontario zu ziehen – Bank ist bereit, den Wechsel zu akzeptieren – durch Diskontierung des Bankakzepts kann ENAX sofort Bargeld bekommen – die Diskontspesen werden von Burns übernommen.

16 Auslandsvertreter

16.1 Einleitung

Viele Exportfirmen vertreiben ihre Produkte oder Waren im Ausland über dort ansässige Handelsvertreter, Kommissionäre oder Händler. In der Praxis ist es üblich, alle Absatzmittler im Ausland als „Auslandsvertreter" zu bezeichnen, ohne Rücksicht darauf, zu welcher dieser drei Kategorien sie gehören. Die Vertreterfirma kann auch in mehreren der genannten Eigenschaften gleichzeitig tätig sein.

16.2 Musterbriefe

16.2.1 Deutsche Firma möchte Vertretung übernehmen

Sehr geehrte Damen und Herren,

einer Anzeige in der letzten Nummer des Mitteilungsblattes der hiesigen Industrie- und Handelskammer entnehmen wir, dass Sie einen Vertreter für den Verkauf Ihrer Anrufbeantworter und Telefaxgeräte in Süddeutschland suchen. Wir sind an dieser Vertretung interessiert. Da in dieser Anzeige ausdrücklich darauf hingewiesen wird, dass Deutsch zu Ihren Korrespondenzsprachen gehört, schreiben wir Ihnen diesen Brief auf Deutsch.

Unsere Firma ist ein auf Büromaschinen spezialisiertes Großhandelsunternehmen, das schon seit über 12 Jahren besteht. Wir sind beim Fachhandel gut eingeführt und können den deutschen Markt intensiv bearbeiten. Neben unserer Hauptniederlassung in München haben wir Verkaufsbüros in Nürnberg, Regensburg und Stuttgart. Die Hauptniederlassung und die Verkaufsbüros verfügen über modern eingerichtete Kundendienstwerkstätten.

Da sich unser Verkaufsleiter, Herr Hartwig, im September in Taiwan aufhalten wird, könnte gegebenenfalls ein Termin für eine persönliche Unterredung vereinbart werden.

Auskünfte über unsere Firma erhalten Sie von der Dresdner Bank in München und folgenden Firmen: ...

Ihrer baldigen Antwort sehen wir mit Interesse entgegen.

Mit freundlichen Grüßen

16.2.2 Deutscher Hersteller beantwortet Vertretungsangebot

Sehr geehrter Herr van Leyden,

für Ihre Bewerbung danken wir Ihnen sehr. Wir sind gerne bereit, Ihnen die Vertretung unserer Erzeugnisse für die Niederlande zu übertragen.

Wie Sie wissen, bauen wir seit fast 30 Jahren Regale aus Metall. Unser Fertigungsprogramm umfasst Regalsysteme für Industrie, Handel und Handwerk. Besonders bekannt sind unsere Anbauregale für Büro, Lager, Werkstatt und Betrieb. Wir haben in der Vergangenheit bereits einige Aufträge aus den Niederlanden erhalten, und zwar über unsere Düsseldorfer Vertretung. Die steigende Nachfrage nach unseren Regalen in den Niederlanden hatte uns veranlasst, durch Anzeigen in Fachzeitschriften einen geeigneten Fachvertreter zu suchen.

Wir glauben, dass Sie für uns der richtige Mann sind. Bitte machen Sie sich mit unserem Fertigungsprogramm vertraut. Mit getrennter Post senden wir Ihnen ausführliche Unterlagen über unsere Regalsysteme. Wir haben unsere Auslandsabteilung beauftragt, einen Gesamtprospekt in niederländischer Sprache zusammenzustellen, der voraussichtlich schon Ende dieses Monats vorliegen wird.

Unsere selbständigen Auslandsvertreter arbeiten nur auf Provisionsbasis. Bitte entnehmen Sie die Bedingungen dem beiliegenden Mustervertrag.

Gern erwarten wir Ihre Zusage, dass Sie unsere Regale in den Niederlanden verkaufen wollen. Wir freuen uns schon auf eine angenehme und erfolgreiche Zusammenarbeit mit Ihnen.

Mit freundlichen Grüßen

Anlage

16.2.3 Vertreter macht Vorschläge zur Verbesserung des Absatzes

Sehr geehrte Frau Thorsten,

vielen Dank für Ihr Schreiben vom 01. 03., in dem Sie sich nach den Gründen für den Rückgang der Aufträge in den letzten Monaten erkundigen. Diese Entwicklung bereitet auch uns große Sorgen.

Ich möchte gleich eingangs betonen, dass der Grund für die geringere Zahl von Abschlüssen in unserem Gebiet keineswegs in einem Nachlassen unserer Bemühungen zu suchen ist. Erst vor 6 Wochen stellten wir zwei neue Reisende ein, um den Markt intensiver bearbeiten zu können. Die Konkurrenz unternimmt jedoch große Anstrengungen, uns aus dem Feld zu schlagen. Es wird daher gemeinsamer energischer Maßnahmen bedürfen, um das verlorene Terrain wieder zurückzugewinnen.

Ich möchte deshalb vorschlagen, so bald wie möglich eine Werbeaktion durch Inserate in der Fachpresse und Drucksachenwerbung durchzuführen. Vielleicht könnte man auch eine Sonderausstellung veranstalten. Falls Sie einverstanden sind, werde ich die Werbeagentur Behrmann mit der Planung und Durchführung der Werbemaßnahmen beauftragen. Wir sind bereit, einen Teil der Kosten zu übernehmen.

Zur Verbesserung unserer Wettbewerbsposition würde zweifellos auch die Errichtung eines Konsignationslagers beitragen. Wir wären dann in der Lage, eingehende Aufträge in kürzester Zeit auszuführen. Für den Konsignationsverkauf dürften sich vor allem kleinere Artikel eignen, die häufig bestellt werden.

Ich bin sicher, dass die vorgeschlagenen Maßnahmen geeignet wären, die Verkaufsergebnisse zu verbessern, und erwarte mit Interesse Ihre Stellungnahme.

Mit freundlichen Grüßen

16.3   Briefbausteine

Vertretungsangebote

Wir suchen Vertreter für den Verkauf unserer Erzeugnisse an Unternehmen der Metall verarbeitenden Industrie.

Wir suchen Kontakt zu Firmen, die daran interessiert sind, ein Produkt aus dem Software-Bereich zu vertreten.

Wir suchen eine Firma, die in der Lage ist, unseren Produkten den schwedischen Markt zu erschließen.

Da die Nachfrage nach unseren Erzeugnissen in der Schweiz ständig zunimmt, beabsichtigen wir, eine dort ansässige Firma mit dem Vertrieb zu beauftragen.

Vertretungsgesuche

Wir haben Ihre Anzeige in ... gelesen und bieten Ihnen unsere Dienste als Vertreter an.

Wir haben von der hiesigen Industrie- und Handelskammer erfahren, dass Sie einen Vertreter für den Vertrieb Ihrer Erzeugnisse in der Bundesrepublik suchen.

Zur Ergänzung unseres Sortiments suchen wir Vertretungen ausländischer Keltereien und Brennereien.

Wir danken Ihnen für Ihr Schreiben vom ..., in dem Sie uns die Alleinverkaufsrechte für Ihr neues Produkt anbieten.

Als führende Importeure in dieser Branche besitzen wir eine umfangreiche Verkaufsorganisation und eine gründliche Kenntnis des Marktes.

Wir sind bereit, für die von uns vermittelten Aufträge das Delkredere zu übernehmen. Dafür würden wir eine zusätzliche Provision von ... % berechnen.

Wenn Sie uns Ihre Vertretung übertragen, werden wir uns nach Kräften für den Verkauf Ihrer Produkte einsetzen.

Wir sind davon überzeugt, dass es uns dank unserer Erfahrung und unserer umfangreichen Geschäftsbeziehungen gelingen wird, Ihre Produkte auf dem hiesigen Markt erfolgreich einzuführen.

16.4   Übungen

16.4.1 Vertretungsgesuch

Sie haben von Ihrer Handelskammer erfahren, dass die Spielwarenfabrik
Gebr. Machler KG in Nürnberg einen Vertreter in Ihrem Land sucht. Bewerben
Sie sich um die Vertretung.

16.4.2 Vertretungsangebot

Sie suchen einen Vertreter für den Verkauf Ihrer Erzeugnisse in der Bundesrepublik Deutschland. Ihre Bank hat Sie darauf aufmerksam gemacht, dass die
OMNIA AG in Hamburg eine solche Vertretung sucht. Schreiben Sie an diese
Firma und nennen Sie die Bedingungen, zu denen Sie bereit wären, ihr die Vertretung zu übertragen.

„Die Umsatzsteigerung verdanken
wir nicht zuletzt der geschickten
Verkaufsstrategie unseres Ver-
treters."

17   Elektronischer Handel: „Interactive Purchasing Agent"

Zur Durchführung des elektronischen Handels werden spezielle Softwarepro-
gramme entwickelt. Als Beispiel für ein Programm für B2B-Anwendungen wird
hier der „Interactive Purchasing Agent" (IPA) vorgestellt – ein Programm, das
für den Einkauf von Teilen im Maschinenbausektor entwickelt wurde. Es bildet
den gesamten Beschaffungsvorgang ab, wobei eine ständige Interaktion zwischen Kunde und Lieferant stattfindet. Auf diese Weise können Gegenangebote
gemacht, fehlende Angaben nachgeliefert und Rückfragen beantwortet werden.

Der IPA wurde von der Think Tank Corporate Consulting GmbH, München,
einem Tochterunternehmen der Web2CAD AG, in deren Auftrag entwickelt. Die
Rechte am Programm liegen bei der Web2CAD AG.

Der Nutzung des IPA geht die Artikelauswahl voraus, die aufgrund eines
elektronisch oder auf CD-ROM übermittelten Produktkatalogs erfolgt. Bevor er
Zugriff auf den Produktkatalog erhält, muss der Kunde seine Daten, wie
Name, Firma, Adresse usw. eingeben. Nach Auswahl der gewünschten Artikel,
die in den „elektronischen Warenkorb" („Web2CAD Shopping Cart") gelegt
werden, loggt sich der Kunde unter Angabe des Benutzernamens und eines
Passworts in den IPA ein.

Der IPA teilt den Beschaffungsvorgang in 8 Teilschritte auf:
1.   Anfrage
2.   Angebot
3.   Angebotsbestätigung
4.   Bestellung
5.   Auftragsbestätigung
6.   Teillieferung
7.   Lieferbestätigung
8.   Abnahme

Die einzelnen Teilschritte werden durch Masken dargestellt, in die die Daten
eingegeben werden.

Abbildungen der Masken, die man auch als „digitale Formulare" bezeichnen
kann, finden sich auf den nachstehenden Seiten.

1. Anfrage

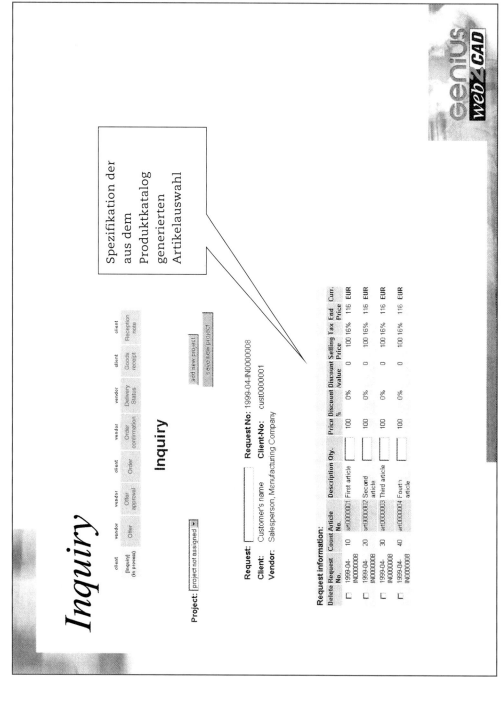

Nach erfolgter Produktauswahl leitet der Kunde den Bestellvorgang ein.

2. Angebot

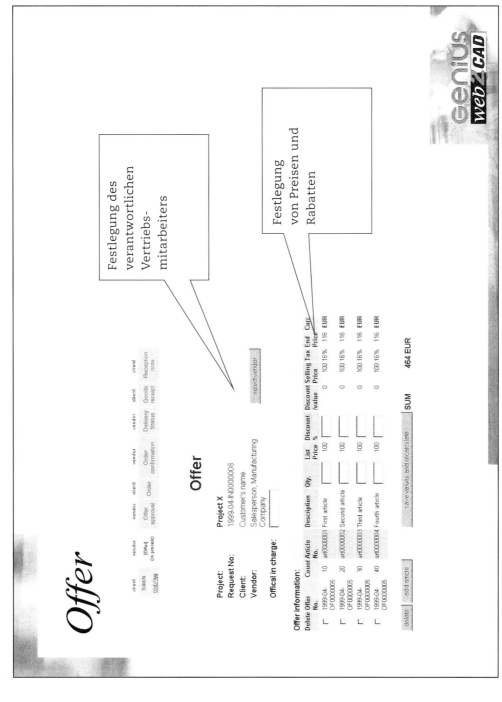

Aufgrund der Kundenanfrage arbeitet der zuständige Sachbearbeiter ein Angebot aus und sendet es zur Verifizierung an eine übergeordnete Stelle in seinem Betrieb.

3. Angebotsbestätigung

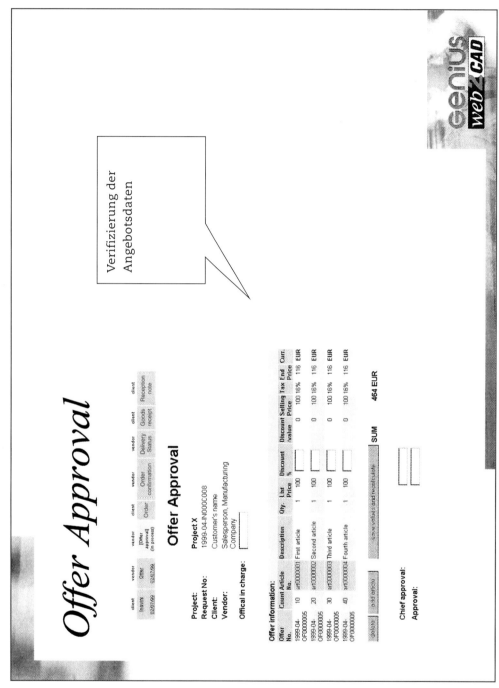

Die Angebotsdaten werden durch eine übergeordnete Stelle der Lieferfirma verifiziert und dem Kunden zugeleitet.

4. Bestellung

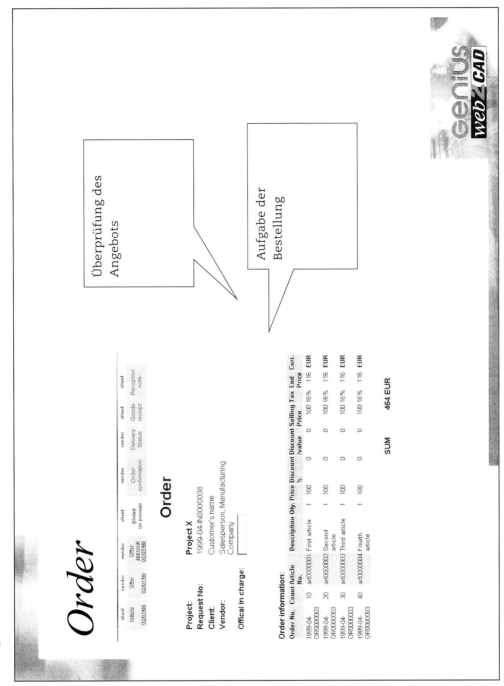

Auf der Basis des bestätigten Angebots des Lieferanten gibt der Kunde die gewünschten Artikel in Auftrag.

5. Auftragsbestätigung

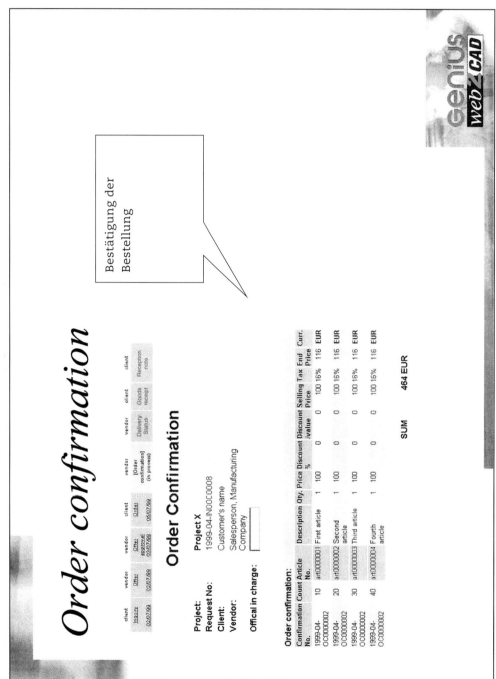

Der Lieferant bestätigt den Eingang und die Annahme der Bestellung.

6. Teillieferung

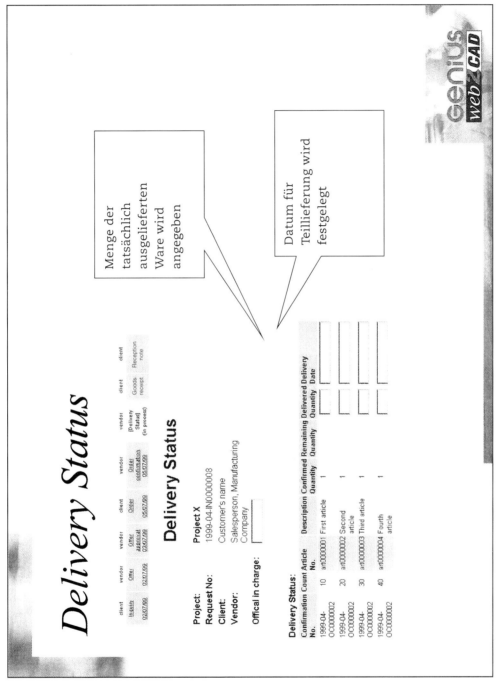

Der Lieferant zeigt dem Kunden – analog zum konventionellen Lieferschein – die tatsächlich ausgelieferte Menge an.

7. Lieferbestätigung

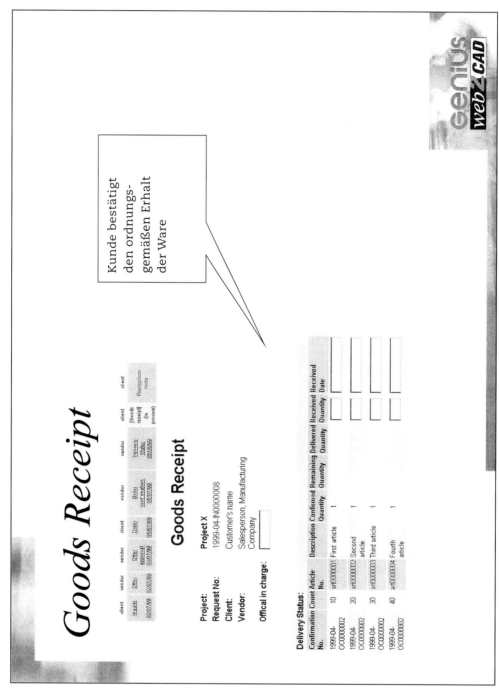

Der Kunde bestätigt die Ordnungsgemäßheit der eingegangenen Lieferung.

8. Abnahme

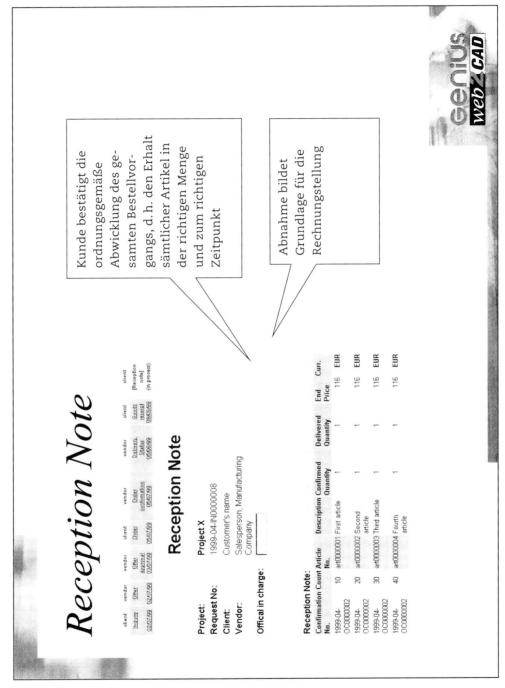

Der Kunde bestätigt die ordnungsgemäße Abwicklung seiner Bestellung. Die Abnahme bildet die Grundlage der Rechnungsstellung durch den Lieferanten.

Glossar

Ab Werk (benannter Ort) / EXW EX works (named place)

Der Verkäufer muss dem Käufer die Ware auf seinem Gelände (Werk, Lager usw.) zur Verfügung stellen. Er trägt alle Kosten sowie die Gefahr des Verlusts oder der Beschädigung der Ware, bis die Ware dem Käufer in der genannten Weise zur Verfügung gestellt worden ist. Siehe auch **Incoterms**.

AG siehe **Aktiengesellschaft**.

Akkreditiv
Siehe **Dokumentenakkreditiv**.

Aktiengesellschaft
Die Aktiengesellschaft ist eine juristische Person, deren Grundkapital in Anteile (*Aktien*) zerlegt ist. Die Aktien sind in Wertpapieren verbrieft. Für die Verbindlichkeiten der Aktiengesellschaft haftet nur das Gesellschaftsvermögen. Die Aktiengesellschaft hat drei Organe: Hauptversammlung, Aufsichtsrat und Vorstand. Die Hauptversammlung besteht aus den Aktionären; sie wählt einen Teil der Mitglieder des Aufsichtsrats (der übrige Teil wird von den Arbeitnehmern bestimmt). Der Aufsichtsrat bestellt den Vorstand, das leitende Organ der Aktiengesellschaft, und beaufsichtigt dessen Geschäftsführung. Siehe auch **Firma**.

Akzept siehe **Wechsel**.

Auslandshandelskammer
Die deutschen Auslandshandelskammern haben die Aufgabe, die Wirtschaftsbeziehungen zwischen der Bundesrepublik Deutschland und dem jeweiligen Partnerland zu fördern und zu pflegen. Sie sind privatrechtliche Vereinigungen, denen Mitglieder aus beiden Ländern angehören. Vergleiche **Industrie- und Handelskammer**.

CFR Cost and freight siehe **Kosten und Fracht**.

CIF Cost, insurance and freight siehe **Kosten, Versicherung und Fracht**.

CIP Carriage and insurance paid to siehe **Frachtfrei versichert**.

CPT Carriage paid to siehe **Frachtfrei**.

DAF Delivered at frontier siehe **Geliefert Grenze**.

DDP Delivered duty paid siehe **Geliefert verzollt**.

DDU Delivered duty unpaid siehe **Geliefert unverzollt**.

DEQ Delivered ex quay (duty paid) siehe **Ab Kai (verzollt)**.

DES Delivered ex ship siehe **Geliefert ab Schiff**.

Diskontkredit
Als Diskontkredit bezeichnet man den Ankauf von **Wechseln** durch die Bank vor dem Fälligkeitsdatum. Die Bank zieht die Zinsen bis zur Fälligkeit (*Diskont*) vom Betrag des Wechsels ab und schreibt den verbleibenden Betrag dem Kunden auf Kontokorrentkonto gut.

Dokumente

Als Dokumente bezeichnet man im Außenhandel die im Zusammenhang mit einer Warensendung ausgestellten Urkunden. Zu diesen gehören Handelsrechnung (siehe Kapitel 8), **Konnossement, Versicherungspolice** oder **-zertifikat, Ursprungszeugnis** und eine Reihe anderer Papiere.

Dokumente gegen Akzept

Bei dieser Zahlungsform übergibt der Exporteur seiner Bank die **Dokumente** und einen auf den Importeur gezogenen **Wechsel** mit der Anweisung, die Dokumente über ihre Filiale oder Korrespondenzbank im Einfuhrland dem Importeur nach Akzeptierung des Wechsels auszuhändigen.

Dokumentenakkreditiv

Ein Dokumentenakkreditiv ist das Versprechen einer Bank, für Rechnung eines Kunden einem Dritten, meist unter Einschaltung einer anderen Bank, bei Erfüllung bestimmter Bedingungen (rechtzeitige Vorlage der im Akkreditiv vorgesehenen **Dokumente**) einen bestimmten Betrag zur Verfügung zu stellen.

Wenn sich Verkäufer und Käufer auf Zahlung durch Akkreditiv geeinigt haben, erteilt der Käufer seiner Bank den Auftrag, das Akkreditiv zugunsten des Verkäufers (des *Begünstigten*) zu eröffnen. Die Bank des Käufers weist ihre Filiale oder eine andere Bank im Land des Verkäufers an, dem Verkäufer den Akkreditivbetrag bei Vorlage der im Akkreditiv genannten Dokumente auszubezahlen.

Akkreditive können unwiderruflich oder widerruflich sein. Ein unwiderrufliches Akkreditiv kann von der eröffnenden Bank nur mit Zustimmung des Begünstigten widerrufen werden. Es gibt bestätigte unwiderrufliche Akkreditive und unbestätigte unwiderrufliche Akkreditive. (Die in der Praxis selten verwendeten widerruflichen Akkreditive sind stets unbestätigt.) Wenn die Bank im Lande des Begünstigten das Akkreditiv bestätigt, haftet sie dem Begünstigten genauso wie die eröffnende Bank für die Einlösung des Akkreditivs. Bei einem unbestätigten Akkreditiv erhält der Begünstigte von der Bank in seinem Land lediglich eine Eröffnungsanzeige, bei der die Bank keine Haftung übernimmt.

Eigentumsvorbehalt

Beim Kauf unter Eigentumsvorbehalt behält sich der Verkäufer das Eigentum an der verkauften Ware bis zur vollständigen Bezahlung des Kaufpreises vor. Kommt der Käufer mit der Zahlung in Verzug, so ist der Verkäufer berechtigt, vom Vertrag zurückzutreten und Rückgabe der Ware zu fordern.

Einzelkaufmann

Ein Unternehmen, das ein **Kaufmann** als Alleininhaber betreibt. Siehe auch **Firma**.

Euro

Euro (abgekürzt EUR oder €) ist die Bezeichnung der einheitlichen europäischen Währung, die im Januar 1999 aufgrund des 1991 geschlossenen Maastrichter Vertrags in den zunächst 11 Teilnehmerländern der Europäischen Wirtschafts- und Währungsunion (EWWU) eingeführt wurde.

EXW Ex works siehe **Ab Werk.**

FAS Free alongside ship siehe **Frei Längsseite Schiff.**

FCA Free carrier siehe **Frei Frachtführer.**

Firma

Das Wort „Firma" hat zwei unterschiedliche Bedeutungen: Die allgemeine Bedeutung ist *Unternehmen, Geschäft, Betrieb.* Im Handelsrecht bezeichnet man damit den Namen, unter dem ein in das Handelsregister eingetragenes Unternehmen (**Kaufmann**) seine Geschäfte durchführt. Alle Unternehmen – **Einzelkaufleute, Personengesellschaften** und **Kapitalgesellschaften** – können als Firma Personen-, Sach- oder Phantasienamen wählen. Während früher nur die Firmennamen von Kapitalgesellschaften Rechtsformzusätze enthalten mussten, sind solche Zusätze jetzt auch für Einzelkaufleute und Personengesellschaften vorgeschrieben.

Die Rechtsformzusätze sowie die üblicherweise verwendeten Abkürzungen sind nachstehend aufgeführt:
– Einzelkaufmann / -kauffrau: „eingetragener Kaufmann" oder „eingetragene Kauffrau" (e. K., e. Kfm., e. Kfr.)
– **offene Handelsgesellschaft** (OHG, oHG)
– **Kommanditgesellschaft** (KG)
– **Aktiengesellschaft** (AG)
– **Gesellschaft mit beschränkter Haftung** (GmbH, ...gesellschaft mbH)
– **Kommanditgesellschaft auf Aktien** (KGaA)

FOB Free on board siehe **Frei an Bord.**

Frachtbrief

Der Frachtbrief ist im Gegensatz zum Konnossement lediglich ein Begleitpapier, das dem Empfänger zusammen mit der Sendung ausgehändigt wird.

Frachtfrei (benannter Bestimmungsort) / CPT Carriage paid to (named place of destination)

Der Verkäufer muss die Fracht für die Beförderung der Ware bis zum benannten Bestimmungsort tragen. Er übernimmt jedoch die Gefahr des Verlusts oder der Beschädigung der Ware nur bis zur Übergabe der Ware an den Frachtführer. Zusätzliche Kosten, die nach der Übergabe der Ware an den Frachtführer anfallen, trägt der Käufer. Diese Klausel kann für jede Transportart, einschließlich des **multimodalen Transports,** verwendet werden. Siehe auch **Incoterms.**

Frachtfrei versichert (benannter Bestimmungsort) / CIP Carriage and insurance paid to (named place of destination)

Der Verkäufer hat hier die gleichen Verpflichtungen wie bei **Frachtfrei,** er muss jedoch zusätzlich die **Transportversicherung** gegen die vom Käufer getragene Gefahr des Verlustes oder der Beschädigung der Ware während des Transports abschließen und die Versicherungsprämie zahlen. Siehe auch **Incoterms.**

Frachtführer

Frachtführer ist, wer es gewerbsmäßig übernimmt, die Beförderung von Gütern zu Lande oder auf Binnengewässern auszuführen. Dies gilt grundsätzlich auch für den Luftverkehr. In der Seeschifffahrt entspricht dem Frachtführer der Verfrachter.

Frei an Bord (benannter Verschiffungshafen) / FOB Free on board (named port of shipment)

Der Verkäufer muss die Ware an Bord des Schiffs im benannten Verschiffungshafen liefern. Er trägt alle Kosten sowie die Gefahr des Verlusts oder der

Beschädigung der Ware bis diese die Schiffsreling überschritten hat. Diese Klausel kann nur für den See- oder Binnenschiffstransport verwendet werden. Siehe auch **Incoterms.**

Frei Frachtführer (benannter Ort) / FCA Free Carrier (named place)

Der Verkäufer muss die Ware dem vom Käufer benannten Frachtführer am benannten Ort oder an der benannten Stelle übergeben. Er trägt alle Kosten sowie die Gefahr des Verlusts oder der Beschädigung der Ware bis diese dem Frachtführer übergeben worden ist. Diese Klausel kann für jede Beförderungsart, einschließlich des **multimodalen Transports,** verwendet werden. Siehe auch **Incoterms.**

Frei Längsseite Schiff (benannter Verschiffungshafen) / FAS Free alongside ship (named port of shipment)

Der Verkäufer muss die Ware längsseits des Schiffs im benannten Verschiffungshafen liefern. Er trägt alle Kosten sowie die Gefahr des Verlusts oder der Beschädigung der Ware, bis diese längsseits des Schiffs geliefert worden ist. Diese Klausel kann nur für den See- oder Binnenschiffstransport verwendet werden. Siehe auch **Incoterms.**

Geliefert ab Kai (verzollt) (benannter Bestimmungshafen) / DEQ Delivered ex quay (duty paid) (named port of destination)

Der Verkäufer muss dem Käufer die Ware am Kai des benannten Bestimmungshafens zur Verfügung stellen. Er trägt die Gefahr des Verlusts oder der Beschädigung der Ware sowie die Kosten, einschließlich der bei der Einfuhr anfallenden Zölle, Steuern und anderen Abgaben, bis die Ware dem Käufer in der genannten Weise zur Verfügung gestellt worden ist. Diese Klausel kann nur für den See- oder Binnenschiffstransport verwendet werden. Siehe auch **Incoterms.**

Geliefert ab Schiff (benannter Bestimmungshafen) / DES Delivered ex ship (named port of destination)

Der Verkäufer muss dem Käufer die Ware an Bord des Schiffs im benannten Bestimmungshafen zur Verfügung stellen. Er trägt alle Kosten und die Gefahr des Verlusts oder der Beschädigung der Ware, bis diese dem Käufer in der genannten Weise zur Verfügung gestellt worden ist. Diese Klausel kann nur für den See- oder Binnenschiffstransport verwendet werden. Siehe auch **Incoterms.**

Geliefert Grenze (benannter Ort) / DAF Delivered at frontier (named place)

Der Verkäufer muss dem Käufer die Ware an der benannten Stelle des benannten Grenzorts zur Verfügung stellen. Er trägt alle Kosten (einschließlich der Kosten für die Entladung) sowie die Gefahr des Verlusts oder der Beschädigung der Ware, bis diese dem Käufer in der genannten Weise zur Verfügung gestellt worden ist. Die Klausel ist hauptsächlich für den Eisenbahn- oder Straßentransport vorgesehen, sie kann jedoch für jede Transportart verwendet werden. Siehe auch **Incoterms.**

Geliefert unverzollt (benannter Bestimmungsort) / DDU Delivered duty unpaid (named place of destination)
Der Verkäufer muss dem Käufer die Ware am benannten Ort im Einfuhrland zur Verfügung stellen. Er trägt alle Kosten

(außer den bei der Einfuhr anfallenden Zöllen, Steuern und anderen Abgaben), bis die Ware dem Käufer in der genannten Weise zur Verfügung gestellt worden ist. Diese Klausel kann für jede Transportart verwendet werden. Siehe auch **Incoterms.**

Geliefert verzollt (benannter Ort) / DDP Delivered duty paid (named place of destination)

Der Verkäufer hat hier die gleichen Verpflichtungen wie bei **Geliefert unverzollt,** muss aber zusätzlich auch noch die bei der Einfuhr anfallenden Zölle, Steuern und anderen Abgaben übernehmen.

Gesellschaft mit beschränkter Haftung
Die Gesellschaft mit beschränkter Haftung ist wie die **Aktiengesellschaft** eine juristische Person. Das Stammkapital ist in Stammeinlagen aufgeteilt, die jedoch nicht in Wertpapieren verbrieft sind. Soweit keine Nachschusspflicht besteht, beschränkt sich die Haftung der Gesellschafter auf ihre Einlage. Die Organe der Gesellschaft mit beschränkter Haftung sind: Gesellschafterversammlung, Geschäftsführung und – falls in der Satzung vorgesehen – ein Aufsichtsrat. Siehe auch **Firma.**

GmbH siehe **Gesellschaft mit beschränkter Haftung.**

Handelsrabatt siehe **Rabatt.**

Handelsregister
Das Handelsregister ist ein bei den Amtsgerichten geführtes Verzeichnis der **Einzelkaufleute, Personengesellschaften (offene Handelsgesellschaften** und **Kommanditgesellschaften)** und Kapitalgesellschaften **(Aktiengesellschaften,** **Gesellschaften mit beschränkter Haftung** und **Kommanditgesellschaften auf Aktien)** in dem betreffenden Amtsgerichtsbezirk. Alle im Handelsregister vorgenommenen Eintragungen, Änderungen und Löschungen werden veröffentlicht; außerdem kann das Handelsregister von jedermann eingesehen werden.

Handelsvertreter
Der Handelsvertreter ist ein selbständiger Kaufmann, der die Aufgabe hat, für seinen Auftraggeber Geschäfte zu vermitteln oder in dessen Namen abzuschließen. Für seine Tätigkeit erhält er eine Provision. Die Rechte und Pflichten des Handelsvertreters und die seines Auftraggebers werden im Vertretervertrag festgelegt. Handelsvertreter, die das alleinige Recht haben, den Auftraggeber in einem bestimmten Verkaufsgebiet zu vertreten, bezeichnet man als Alleinvertreter. Siehe auch **Kommissionär** und **Vertreter.**

Händler
Ein Händler ist für eigene Rechnung tätig. Er kann aufgrund eines Vertrags (*Händlervertrag*) an einen bestimmten Hersteller gebunden sein, der ihm das Alleinverkaufsrecht für ein bestimmtes Gebiet übertragen hat (*Vertragshändler*). Ein Importeur, der als Vertragshändler für einen ausländischen Hersteller tätig ist, wird als Alleinimporteur bezeichnet.

Handlungsbevollmächtigter siehe **Handlungsvollmacht.**

Handlungsvollmacht
Eine Vollmacht geringeren Umfangs als die **Prokura.** Sie berechtigt den Handlungsbevollmächtigten entweder zur

Durchführung aller gewöhnlichen Geschäfte eines Handelsgewerbes (*Generalvollmacht*), zur Durchführung bestimmter Geschäfte der gleichen Art (*Artvollmacht*) oder zur Durchführung eines einzelnen Geschäfts (*Einzelvollmacht*). Die Erteilung der Handlungsvollmacht kann ausdrücklich oder stillschweigend erfolgen und wird nicht in das **Handelsregister** eingetragen.

Industrie- und Handelskammer

Die deutschen Industrie- und Handelskammern (in Hamburg und Bremen Handelskammern genannt) sind Körperschaften des öffentlichen Rechts mit Pflichtmitgliedschaft, die die Interessen der Wirtschaft vertreten. Sie haben sehr vielseitige Aufgaben; auf dem Gebiet der Außenwirtschaft sind dies z. B. Informationsdienst, Firmennachweis, Kooperationsvermittlung, die Ausstellung von Ursprungszeugnissen und die Beglaubigung von Handelsrechnungen. Vergleiche **Auslandshandelskammer.**

Incoterms

Die Incoterms (International Commercial Terms) sind von der Internationalen Handelskammer in Paris aufgestellte internationale Regeln für die Auslegung der im internationalen Handel am häufigsten verwendeten Lieferklauseln. Sie haben rein privaten Charakter und gelten nur, wenn ihre Anwendung von Verkäufer und Käufer vereinbart wurde. Durch Anwendung der Incoterms werden Missverständnisse und Streitigkeiten vermieden, da die Pflichten der Vertragsparteien, vor allem Kostenübernahme und Gefahrenübergang, eindeutig festgelegt werden.

Die Incoterms wurden im Jahre 1936 erstmals herausgebracht und sind inzwischen mehrmals revidiert worden. Die Klauseln der seit dem 1. Juli 1990 gültigen Incoterms 1990 sind auf S. 43 aufgeführt und werden in diesem Glossar kurz definiert.

Joint Venture

Im weiteren Sinne umfasst Joint Venture alle Formen der **Kooperation.** Im engeren Sinne handelt es sich dabei um eine Gemeinschaftsgründung, wobei die Joint Venture-Partner gemeinsam ein Unternehmen im Land eines der Partner oder in einem Drittland errichten oder erwerben.

Kapitalgesellschaften

Zusammenfassende Bezeichnung für **Aktiengesellschaft**, **Gesellschaft mit beschränkter Haftung** und **Kommanditgesellschaft auf Aktien.**

Kasse gegen Dokumente

Bei der Zahlungsform Kasse gegen Dokumente übergibt der Exporteur seiner Bank die **Dokumente** mit der Anweisung, diese über ihre Filiale oder Korrespondenzbank im Einfuhrland gegen Zahlung des Rechnungsbetrags auszuhändigen.

Kaufmann

Jeder Gewerbetreibende, dessen Unternehmen einen nach Art oder Umfang in kaufmännischer Weise eingerichteten Geschäftsbetrieb erfordert, ist Kaufmann und zur Eintragung ins **Handelsregister** verpflichtet. Er führt eine **Firma** und unterliegt den Bestimmungen des Handelsgesetzbuches. Kleingewerbetreibende, die keinen nach Art oder Umfang in kaufmännischer Weise eingerichteten Geschäftsbetrieb benötigen, können die Kaufmannseigenschaft freiwillig durch

Eintragung ins Handelsregister erwerben. Sie haben außerdem die Möglichkeit, sich zu **Personengesellschaften** zusammenzuschließen. **Kapitalgesellschaften** sind stets Kaufleute.

KG siehe **Kommanditgesellschaft**.

KGaA siehe **Kommanditgesellschaft auf Aktien**.

Kommanditgesellschaft

Die Kommanditgesellschaft besteht aus einem oder mehreren Gesellschaftern, die unbeschränkt (d. h. auch mit ihrem Privatvermögen) für die Schulden der Gesellschaft haften (*Vollhafter* oder *Komplementäre*), und mindestens einem Gesellschafter, dessen Haftung auf seine Einlage beschränkt ist (*Teilhafter* oder *Kommanditist*). Die Geschäftsführung liegt in den Händen des bzw. der Vollhafter. Siehe auch **Firma**.

Kommanditgesellschaft auf Aktien

Mischform zwischen **Kommanditgesellschaft** und **Aktiengesellschaft**, bei der mindestens ein Gesellschafter mit seinem ganzen Vermögen haftet (*Komplementär*) und die übrigen Gesellschafter mit Einlagen auf das in Aktien zerlegte Grundkapital beteiligt sind. Siehe auch **Firma**.

Kommissionär

Der Kommissionär ist – wie der Handelsvertreter – ein selbständiger, auf Provisionsbasis tätiger **Kaufmann**. Er hat die Aufgabe, Waren für Rechnung eines anderen (des Kommittenten) im eigenen Namen zu kaufen oder zu verkaufen. Der Verkaufskommissionär im Außenhandel wird meist Konsignatar genannt. Das Kommissionsgeschäft bezeichnet man in diesem Fall als Konsignationsgeschäft, den Kommittenten als Konsignanten, das Kommissionslager als Konsignationslager und die Kommissionsware als Konsignationsware.

Die im Konsignationslager befindliche Konsignationsware wird dem Konsignatar vom Konsignaten zum Zwecke des Verkaufs zur Verfügung gestellt. Der Konsignatar verkauft die Ware an seine Kunden und nimmt auch das Geld in Empfang. Von Zeit zu Zeit rechnet er mit dem Konsignanten ab und überweist den Verkaufserlös abzüglich seiner Provision.

Konnossement

Das Konnossement ist ein Frachtdokument in der Seeschifffahrt. Es wird meist in mehreren Originalen ausgestellt und vom Reeder (oder von dessen Vertreter) gezeichnet, der verspricht, die Sendung im Bestimmungshafen gegen Vorlage eines (oder sämtlicher) Originale auszuliefern. Erfolgt die Auslieferung gegen eines der Originale, werden die übrigen dadurch ungültig.

Das Konnossement bestätigt entweder die Verladung der Sendung an Bord eines bestimmten Schiffes (*Bordkonnossement*) oder lediglich die Übernahme der Sendung zur späteren Verladung (*Empfangs-* oder *Übernahmekonnossement*). Ein Konnossement wird als „rein" bezeichnet, wenn es keinen auf äußere Mängel der Sendung hinweisenden Vermerk trägt; trägt es einen solchen Vermerk, bezeichnet man es als „unrein".

Konnossemente sind Traditionspapiere, mit denen über die Ware verfügt werden kann, d. h. die Übergabe des Konnossements ersetzt die Übergabe der Ware selbst. In der Regel lautet das Konnossement an Order und kann durch Indossament übertragen werden. Auf Orderkonnossementen wird meist eine so genannte „Notify-Adresse" angegeben, an die sich der Reedereivertreter im Bestimmungshafen nach Ankunft des Schiffs wenden kann.

Konsignationslager siehe **Kommissionär.**

Kontokorrentkredit

Der Kontokorrentkredit ist ein Kredit, den die Bank einem Kunden auf einem laufenden Konto (*Kontokorrentkonto*) zur Verfügung stellt. Der Kunde kann den Kredit durch Verfügungen über sein Konto bis zur vereinbarten Kreditlinie in Anspruch nehmen.

Kooperation

Als Kooperation bezeichnet man die Zusammenarbeit zwischen rechtlich selbständigen Firmen. Bereiche der Zusammenarbeit, durch die die Wettbewerbsfähigkeit der beteiligten Unternehmen gesteigert werden soll, sind z. B. Forschung und Entwicklung, Produktion, Werbung und Vertrieb, wobei die Spanne vom bloßen Informations- und Erfahrungsaustausch bis zur gemeinsamen Durchführung einer oder mehrerer Funktionen reicht. Kooperationen können auch **Lizenzfertigung** (eventuell gegenseitige Lizenzvergabe) oder Gemeinschaftsgründungen **(Joint Ventures)** vorsehen.

Kosten und Fracht (benannter Bestimmungshafen) / CFR Cost and freight (named port of destination)

Der Verkäufer muss die Kosten und die Fracht tragen, die erforderlich sind, um die Ware zum benannten Bestimmungshafen zu befördern. Er trägt die Gefahr des Verlusts oder der Beschädigung der Ware, jedoch nur, bis die Ware die Reling des Schiffs im Verschiffungshafen überschritten hat. Kosten, die nach Überschreiten der Reling anfallen, gehen zu Lasten des Käufers. Diese Klausel kann nur für den See- oder Binnenschiffstransport verwendet werden. Siehe auch **Incoterms.**

Kosten, Versicherung und Fracht (benannter Bestimmungshafen) / CIF Cost, insurance and freight (named port of destination)

Bei dieser Klausel hat der Verkäufer die gleichen Verpflichtungen wie bei **Kosten und Fracht,** er muss jedoch zusätzlich die Seetransportversicherung gegen die vom Käufer zu tragende Gefahr des Verlusts oder der Beschädigung der Ware abschließen und die Versicherungsprämie zahlen. Siehe auch **Incoterms.**

Lizenzfertigung

Lizenzfertigung ist die Fertigung von Erzeugnissen durch einen Lizenznehmer, dem das Recht, die Produkte zu fertigen und zu vertreiben, vom Lizenzgeber aufgrund eines Lizenzvertrags erteilt wurde. Der Lizenzgeber überlässt dem Lizenznehmer seine Fertigungsunterlagen, Patente und Warenzeichen sowie seine bei der Herstellung der Erzeugnisse gesammelte Erfahrung (*Know-how*). Der Lizenznehmer zahlt dafür an den Lizenzgeber eine Lizenzgebühr, die meist als bestimmter Prozentsatz des Verkaufspreises der Lizenzerzeugnisse berechnet wird.

Multimodaler Transport

Als multimodalen Transport bezeichnet man den Transport von größeren Ladeeinheiten, z. B. Paletten und Container,

137

durch verschiedene Verkehrsträger (*kombinierter Verkehr*).

Nachnahme

Bei Lieferung gegen Nachnahme wird der Rechnungsbetrag durch die Post, den **Frachtführer** oder den **Spediteur** eingezogen. Der Käufer erhält die Ware erst, nachdem er gezahlt hat. Die dokumentäre Form des Nachnahmegeschäfts ist **Kasse gegen Dokumente**.

offene Handelsgesellschaft

Die offene Handelsgesellschaft besteht aus zwei oder mehr Gesellschaftern, die alle unbeschränkt für die Schulden der Gesellschaft haften und grundsätzlich das Recht haben, an der Geschäftsführung teilzunehmen. Siehe auch **Firma**.

oHG siehe offene Handelsgesellschaft.

Personengesellschaften

Zusammenfassende Bezeichnung von **offener Handelsgesellschaft** und **Kommanditgesellschaft**.

Pflichtangaben auf Geschäftsbriefen

Kaufleute müssen auf allen Geschäftsbriefen, die an einen bestimmten Empfänger gerichtet sind (darunter fallen auch Bestellscheine und Rechnungen), bestimmte Angaben machen. Die Art der Übermittlung (Post, Telefax, E-Mail) spielt dabei keine Rolle. Folgende Angaben sind bei allen Arten von kaufmännischen Unternehmen vorgeschrieben:
- **Firma** mit Rechtsformzusatz
- Ort der Niederlassung bzw. Sitz der Gesellschaft
- Registergericht (siehe **Handelsregister**)
- Handelsregisternummer

Die für **Kapitalgesellschaften** geltenden Vorschriften sehen daneben noch weitere Angaben vor. Bei einer **Aktiengesellschaft** müssen auch die Mitglieder des Vorstands (der Vorstandsvorsitzende ist als solcher zu bezeichnen) und der Vorsitzende des Aufsichtsrats genannt werden. Bei einer **Gesellschaft mit beschränkter Haftung** sind der bzw. die Geschäftsführer und – falls ein Aufsichtsrat besteht – dessen Vorsitzender anzugeben. Wenn bei einer **Personengesellschaft** keine natürliche Person persönlich haftet, muss die Gesellschaft die persönlich haftende(n) juristische(n) Person bzw. Personen nennen und für diese die vorgeschriebenen Angaben machen.

Proforma-Rechnung

Die Proforma-Rechnung ist eine Rechnung zu Informationszwecken. Sie stellt in der Regel keine Zahlungsaufforderung dar, sondern wird zu dem Zweck ausgestellt, den Käufer oder eine Behörde des Einfuhrlandes über die Einzelheiten einer Warensendung zu unterrichten. Proforma-Rechnungen können ein Angebot darstellen oder den Importeur über die Höhe des zu eröffnenden Akkreditivs informieren. Eventuell sind sie auch der Zollbehörde oder der für die Erteilung von Einfuhrlizenzen zuständigen Behörde vorzulegen.

Prokura

Die Prokura ist eine umfassende Vollmacht, die den Prokuristen berechtigt, den gesamten Geschäftsverkehr zu führen und auch Handlungen vorzunehmen, die über den üblichen Rahmen des Geschäfts hinausgehen, soweit diese nicht dem Inhaber vorbehalten sind. Erteilung und Erlöschen der Prokura sind zur Eintragung ins **Handelsregister** anzumelden.

Prokurist siehe **Prokura.**

Rabatt

Rabatt ist ein Preisnachlass, der aus verschiedenen Gründen gewährt wird. Man unterscheidet z. B. den Mengenrabatt für die Abnahme größerer Mengen, den Frühbezugsrabatt für frühzeitige Bestellung und den Treuerabatt für langjährige Kunden. Wenn die Ware einem Händler zum Bruttopreis (Endverkaufspreis) in Rechnung gestellt wird, erhält der Händler auf diesen Preis einen Händlerrabatt. Der Händlerrabatt stellt die Rohgewinnspanne des Händlers dar. Oft kommen mehrere Rabattarten gleichzeitig zur Anwendung. Vergleiche **Skonto.**

Scheck

Der Scheck ist eine Urkunde, durch die ein Kontoinhaber seine Bank anweist, bei Sicht aus seinem Guthaben einen bestimmten Betrag zu zahlen. Ein Barscheck wird bar ausbezahlt, ein Verrechnungsscheck dem Konto des Einreichers gutgeschrieben. Als Folge der zunehmenden Verwendung von „Plastikgeld" (Debitkarten, Kreditkarten) hat der Scheck an Bedeutung verloren.

Skonto

Als Skonto bezeichnet man den Nachlass, der auf den Rechnungsbetrag bei Barzahlung innerhalb einer bestimmten Frist gewährt wird. Vergleiche **Rabatt.**

Spediteur

Aufgabe des Spediteurs ist die Vermittlung von Transporten. Soweit er über geeignete Transportmittel verfügt, kann er den Transport ganz oder teilweise auch selbst ausführen.

Transportversicherung

Die Versicherung der beförderten Güter wird Güterversicherung genannt, im Unterschied zur Kaskoversicherung, die das Transportmittel deckt. Im Versicherungsvertrag verpflichtet sich der Versicherer, während der Dauer des Vertrags gegen Zahlung einer bestimmten Prämie alle Verluste und Schäden im vereinbarten Umfang bis zur Höhe der Versicherungssumme zu ersetzen. Über den Versicherungsvertrag wird eine Urkunde, die Police, ausgestellt. Man unterscheidet Einzelpolicen und Generalpolicen. Erstere werden für einzelne Sendungen, Letztere im Rahmen einer laufenden Versicherung ausgestellt. Für die einzelnen aufgrund einer Generalpolice versicherten Sendungen stellt der Versicherer auf Wunsch Versicherungszertifikate aus. Die Versicherung von Haus zu Haus deckt die Güter vom Versand- bis zum Bestimmungsort.

Tratte siehe **Wechsel**

Umsatzsteuer

Die Umsatzbesteuerung im Europäischen Binnenmarkt erfolgt in Form der Mehrwertsteuer (MwSt.).

Waren, die ein Unternehmer im Rahmen des innergemeinschaftlichen Warenverkehrs aus einem Mitgliedstaat in einen anderen liefert (*innergemeinschaftliche Lieferungen*), sind grundsätzlich umsatzsteuerfrei. Der Erwerb solcher Waren durch einen Unternehmer in einem anderen Mitgliedstaat (*innergemeinschaftlicher Erwerb*) ist grundsätzlich umsatzsteuerpflichtig, wobei die Versteuerung nach dem Recht des EG-Mitgliedstaats erfolgt, in den die Waren geliefert werden. Der Lieferant muss auf der Rechnung über die steuerfreie innergemeinschaftliche Lieferung seine Umsatzsteuer-Identifikationsnummer (Ust-IdNr.) und die seines Abnehmers angeben. Soweit erforderlich (wie in Deutschland), ist außerdem ein Vermerk anzubringen, in dem auf die Umsatzsteuerfreiheit der Lieferung hingewiesen wird.

Für den Handelsverkehr mit Drittländern gilt das bisherige Umsatzsteuerrecht: Deutsche Lieferungen in diese Länder sind steuerfrei, Einfuhren aus diesen Ländern unterliegen der Einfuhrumsatzsteuer.

Ursprungszeugnis

Urkunde, die den Ursprung einer Ware bestätigt. Ursprungszeugnisse für gewerbliche Waren werden in der Bundesrepublik von den Industrie- und Handelskammern sowie den Handwerkskammern ausgestellt. In allen Mitgliedstaaten der Europäischen Gemeinschaft wird ein einheitlicher Vordruck für das Ursprungszeugnis verwendet.

Ust-IdNr. siehe **Umsatzsteuer.**

Versicherung siehe **Transportversicherung.**

Versicherung von Haus zu Haus siehe **Transportversicherung.**

Versicherungspolice siehe **Transportversicherung.**

Versicherungszertifikat siehe **Transportversicherung.**

Vertreter

Als Vertreter bezeichnet man Personen, die ständig damit beauftragt sind, für einen anderen Geschäfte zu vermitteln oder abzuschließen. Sie können Angestellte (*Reisende*) oder selbständige Kaufleute (**Handelsvertreter**) sein. Auch der an einen bestimmten Hersteller gebundene **Händler** (*Vertragshändler, Alleinimporteur*) wird in der Praxis oft Vertreter genannt.

Wechsel

Der gezogene Wechsel (*Tratte*) ist eine Urkunde, durch die der Aussteller (*Trassant*) den Bezogenen (*Trassat*) auffordert, eine bestimmte Summe zu einem bestimmten Zeitpunkt an ihn (d. h. den Aussteller selbst) oder einen Dritten zu zahlen. Derjenige, an den gezahlt werden soll, wird Wechselnehmer (*Remittent*) genannt. Der Aussteller kann – wie aus der obigen Definition hervorgeht – gleichzeitig Remittent sein.

Nach dem Verfall unterscheidet man Sichtwechsel, die bei Vorlage fällig sind, sowie Wechsel, die an einem bestimmten Tag oder eine bestimmte Zeit nach dem Ausstellungsdatum oder nach Sicht (d. h. nach der ersten Vorlage) fällig werden. Alle Wechsel außer den Sichtwechseln müssen vom Bezogenen akzeptiert werden. Das Akzept ist die Unterschrift des Bezogenen auf dem Wechsel, durch die er sich verpflichtet, den Wechsel bei Verfall einzulösen. Der akzeptierte Wechsel wird ebenfalls Akzept genannt. Den Bezogenen, der den Wechsel akzeptiert hat, bezeichnet man als Akzeptant.

Auftrag zur Eröffnung eines Dokumenten-Akkreditivs

HypoVereinsbank

Bayerische
Hypo- und Vereinsbank AG

AUFTRAG ZUR ERÖFFNUNG
eines Dokumenten-Akkreditivs

An

Bayerische Hypo- und Vereinsbank AG
AH-Abteilung

Datum   Telefon

Sachbearbeiter / Referenz

Avisierende Bank (Bank des Begünstigten, Name, Anschrift bzw. Korrespondenzbank Ihrer Wahl)

Begünstigter (Name, Anschrift)

Versand der Eröffnungsanzeige – falls nicht per SWIFT:

☐ per Telex   ☐ brieflich, mit Voravis per Telekommunikation   ☐ brieflich   ☐ mit Kurier

Wir bitten Sie – gemäß den z. Zt. gültigen »Einheitlichen Richtlinien und Gebräuchen für Dokumenten-Akkreditive« der Internationalen Handelskammer, Paris, und Ihren »Allgemeinen Geschäftsbedingungen« –, ein Akkreditiv zu nachstehenden Bedingungen zu eröffnen und bei Inanspruchnahme den Dokumentengegenwert dem

Preise / Gebühren z. L.
Konto-Nr.

Aval-Konto-Nr.

Konto-Nr.

zu belasten.

Das Akkreditiv ist zu eröffnen

☐ unwiderruflich   ☐ übertragbar   ☐ widerruflich

Das Akkreditiv ist zahlbar zu stellen

☐ bei Ihnen   ☐ bei der avisierenden Bank   ☐ bei jeder beliebigen Bank

gültig bis

zur Dokumentenvorlage
☐ bei Ihnen   ☐ bei Auslandsbank

Benutzbar durch

☐ Sichtzahlung
☐ gemischte Zahlung/Sonstiges

☐ Nach-Sicht-Zahlung, fällig_____ Tage
☐ nach Sicht
☐ nach Ausstellung des Transportdokuments
☐ nach Ausstellung des_____

Währung / Betrag

☐ max. ☐ circa ☐ plus __ % ☐ minus __ %
(= +/-10 %)

Info zum Betrag / zusätzlicher Betrag:_____

Teilverladung/-ziehung

☐ gestattet   ☐ nicht gestattet   ☐ nur ____ (Anzahl) gestattet

Umladung

☐ gestattet   ☐ nicht gestattet

Ausfertigung für die Bank

5001 8704 (1-2/1)-10.98

141

Warenversand/ Warenübernahme	von/in		nach		spätestens am

Warenbeschreibung; Preis(e)

Lieferbedingung
(z. B. FOB, CFR,
CIF etc. und Ort)

Dokumente, gegen die das Akkreditiv in Anspruch genommen werden soll:

☐ unterschriebene Handelsrechnung   -fach

☐ Packliste

☐ Ursprungszeugnis   -fach, ausgestellt von der zuständigen

Behörde, ausweisend als Ursprungsland der Ware:

(GSP-Form A ☐ Ja ☐ Nein)

zusätzliche Bedingungen:

☐ Versicherungszertifikat/-police, übertragbar, mit Vermerk
»Prämie bezahlt«, in Höhe des Rechnungsbetrages plus _____ %

decken die folgenden Risiken:

☐ voller Satz reiner An-Bord-Seekonossemente, ausgestellt an
Order, blanko indossiert, notify:

ausgestellt von:

☐ Spediteur Bill of Landing gestattet

☐ Luftfrachtbrief, adressiert an:

ausgestellt von:

☐ Spediteur Airwaybill gestattet

☐ Eisenbahnfrachtbriefdoppel (CIM) mit Stempel der

Versandstation, adressiert an:

☐ LKW-Frachtbrief (CMR), adressiert an:

ausgestellt von:

☐ Spediteurübernahmebescheinigung (FCR), ausweisend den

unwiderruflichen Versand, adressiert an:

ausgestellt von:

☐ Dokumente, die die Ware begleiten sollen:

☐ weitere Dokumente:

Zusätzliche Bedingungen:

☐ Third party documents acceptable

Provisionen / Spesen

☐ Ihre Provisionen / Spesen zu unseren Lasten und fremde
Provisionen / Spesen zu Lasten des Akkreditiv-Begünstigten

☐ alle Provisionen / Spesen zu unseren Lasten

☐ alle Provisionen / Spesen zu Lasten des Akkreditiv-Begünstigten

Die Dokumente müssen innerhalb _____ Tagen nach
Ausstellung des Transportdokuments vorgelegt werden.

☐ Das Akkreditiv ist von der avisierenden Bank zu bestätigen.

☐ Die Dokumente sind Ihnen per ☐ Luftpost ☐ Kurier zu übersenden.

Sollten Ihnen außer den unter diesem Akkreditiv beizubringenden
Dokumenten zusätzliche Dokumente oder Schriftstücke zugehen,
sind Sie ermächtigt, diese ungeprüft – und ohne von ihrem Inhalt
Kenntnis zu nehmen – an uns weiterzuleiten, ohne dass dadurch
eine Verantwortung für Sie begründet wird.

Zahlungen aus diesem Akkreditiv werden wir mit Vordruck
Z4 an die LZB melden (gemäß § 59
Außenwirtschaftsverordnung).

SICHERHEITEN:

Sie erwerben unmittelbar vom bisherigen Eigentümer das Eigentum, Miteigentum oder Anwartschaftsrecht an allen Waren, die in den Dokumenten
(Traditions- oder sonstigen Warenpapieren) bezeichnet sind, die Ihnen eingereicht werden und in denen wir als Empfänger der Waren aufgeführt sind
oder die sonst von Ihnen für unsere Rechnung bezahlt werden. Auch die Rechte an den Warendokumenten selbst gehen auf Sie über. Sollten wir
selbst das Eigentum, Miteigentum oder Anwartschaftsrecht an der Ware erwerben, so geht dieses mit Zugang oder der Zahlung der Dokumente und dem
Erwerb durch uns auf Sie über. Die Übergabe von Traditionspapieren
hat dieselbe Wirkung wie die Übergabe der Waren. Werden sonstige
Warenpapiere eingereicht, wird die Übergabe der Waren dadurch ersetzt,
dass wir unsere gegenwärtigen und zukünftigen Herausgabeansprüche
gegen die in den Papieren bezeichneten oder gegen sonstige Besitzer
der Ware abtreten.
Ferner treten wir unsere Ansprüche aus den Versicherungsverträgen
für die in diesem Eröffnungsauftrag benannte Ware, insbesondere den
Anspruch auf Zahlung von Schadensgeldern, an Sie hiermit ab.
Vorstehende Übereignung und Abtretung dient zur Absicherung der
Ansprüche, die Ihnen aufgrund dieses Auftrages gegen uns zustehen.

Firmenstempel und rechtsverbindliche Unterschrift

Konnossement

BILL OF LADING FOR COMBINED TRANSPORT SHIPMENT OR PORT TO PORT SHIPMENT

Shipper

B/L No.
Booking Ref.:
Shipper's Ref.:

Consignee

BEN OCEAN

The Ben Line Steamers Limited
Overseas Containers Limited
Managers: **Wm. Thomson & Co., Edinburgh**

BEN OCEAN INDONESIA SERVICE

Notify Party Address

Place of Receipt

Ocean Vessel and Voy. No.

Place of Delivery

Port of Loading

Port of Discharge

Marsk and Nos: Container Nos:	Number and kind of Packages: description of Goods	Gross Weight (kg)	Measurement (cbm)

ABOVE PARTICULARS AS DECLARED BY SHIPPER

* Total No. Of Containers Packages

Received by the Carrier from the Shipper in apparent good order and condition (unless otherwise noted herein) the total numbers or quantity of Containers or packages or units, indicated*, stated by the Shipper to comprise the Goods specified above, for Carriage subject to all the terms hereof (INCLUDING THE TERMS ON THE REVERSE HEREOF AND THE TERMS OF THE CARRIER'S APPLICABLE TARIFF) from the Place of Receipt or the Port of Loading, whichever is applicable, to the Port of Discharge or the Place of Delivery, whichever ist applicable. In accepting this Bill of Lading the Merchant expressly accepts and agrees to all ist terms, conditions and exceptions, whether printed, stamped or written, or otherwise incorporated, notwithstanding the non-signing of this Bill of Lading by the Merchant.

Movement

Freight payable at	Place and Date of Issue
Number of Original Bills of Lading	IN WITNESS of the contract herein contained the number of originals stated opposite has been issued, one of which being accomplished the orther(s) to be void. For the Carrier: As Agent(s) only.

Luftfrachtbrief

Set your tabulator stops here

Fix the lines here

Shipper's Name and Address	Shipper's Account Number	Not negotiable

Air Waybill*

Issued by

Member of International Air Transport Association

Copies 1, 2 and 3 of this Air Waybill are originals and have the same validity

Consignee's Name and Address	Consignee's Account Number

It is agreed that the goods described herein are accepted in apparent good order and condition (except as noted) for carriage SUBJECT TO THE CONDITIONS OF CONTRACT ON THE REVERSE HEREOF. ALL GOODS MAY BE CARRIED BY ANY OTHER MEANS INCLUDING ROAD OR ANY OTHER CARRIER UNLESS SPECIFIC CONTRARY INSTRUCTIONS ARE GIVEN HEREON BY THE SHIPPER, AND SHIPPER AGREES THAT THE SHIPMENT MAY BE CARRIED VIA INTERMEDIATE STOPPING PLACES WHICH THE CARRIER DEEMS APPROPRIATE. THE SHIPPER'S ATTENTION IS DRAWN TO THE NOTICE CONCERNING CARRIER'S LIMITATION OF LIABILITY. Shipper may increase such limitation of liability by declaring a higher value for carriage and paying a supplemental charge if required.

Issuing Carrier's Agent Name and City

Accounting Information

Agent's IATA Code

Accounting No.

Airport of Departure (Addr. of First Carrier) and Requested Routing

Reference Number

Optional Shipping Information

To	By First Carrier	Routing and Destination	To	By	To	By	Currency	CHGS Code	WT/VAL PPD COLL	Other PPD COLL	Declared Value for Carriage	Declared Value for Customs

Airport of Destination

Requested Flight/Date

Amount of insurance

INSURANCE – If Carrier offers insurance, and such insurance is requestes in accordance with the conditions thereof, indicate amount to be insured in figures in box marked 'Amount of Insurance'

Handling Information

(For U.S.A. use only) These commodities, technology or software were exported from the United States in accordance with the Export Administration Regulations. Diversion contray to USA law prohibited.

SCI

No. of Pieces RCP	Gross Weight	kg lb	Rate Class / Commodity Item No.	Chargeable Weight	Rate / Charge	Total	Nature and Quantity of Goods (incl. Dimensions or Volume)

Prepaid	Weight Charge	**Collect**	Other Charges

Valuation Charge

Tax

Total Other Charges Due Agent

Total Other Charges Due Carrier

Shipper certifies that the particulars on the face hereof are correct and that **insofar as any part of the consignment contains dangerous goods, such part is properly described by name and is in proper condition for carriage by air according to the applicable Dangerous Goods Regulations.**

Signature of Shipper or his Agent

Total Prepaid	Total Collect

Currency Conversion Rates	CC Charges in Dest. Currency

Executed on (date)   at (place)   Signature of Issuing Carrier or its Agent

Charge at Destination	Total Collect Charges

* Luftfrachtbrief (nicht begebbar) – eine verbindliche Übersetzung dieses Frachtbriefformulars (einschließlich der Vertragsbedingungen) in die deutsche Sprache liegt bei allen Lufthansa Frachtbüros aus.

ORIGINAL 3 (FOR SHIPPER)

Ursprungszeugnis

C 1090282 | **ORIGINAL**

EUROPÄISCHE GEMEINSCHAFT
EUROPEAN COMMUNITY - COMMUNAUTÉ EUROPÉENNE - COMUNIDAD EUROPEA

URSPRUNGSZEUGNIS
CERTIFICATE OF ORIGIN - CERTIFICAT D'ORIGINE - CERTIFICADO DE ORIGEN

EDV-Nr. **59 087** Verlagsgruppe Jehle Rehm Postfach 80 19 40, 81619 München, Telefon (089) 4 19 79-140 bis 142, Telefax (089) 4 19 79-144

Genehmigt durch Erlass des Bundesministers der Finanzen vom 22. Mai 1969 III B/8–Z 1351 – 18/69

Wechsel

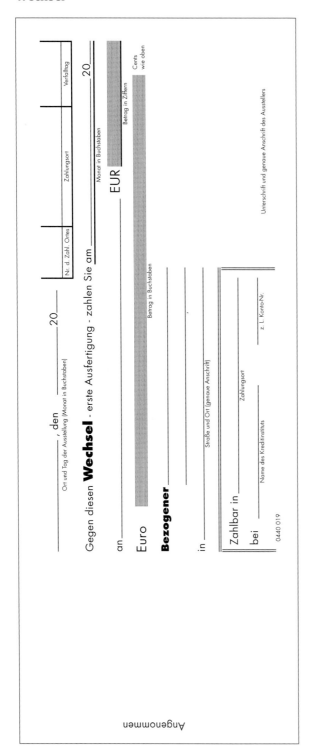

Wörterverzeichnis

Deutsch
Englisch
Französisch
Italienisch
Spanisch

Das Wörterverzeichnis umfaßt den gesamten, im Buch benutzten fachbezogenen Wortschatz, vor allem kaufmännisch-wirtschaftliche, handelsrechtliche und technische Begriffe. In der deutschen Spalte sind die Wörter in alphabetischer Reihenfolge aufgeführt, die übrigen Spalten enthalten die englischen, französischen, italienischen und spanischen Übersetzungen.

Im deutschen Teil des Wörterverzeichnisses werden folgende Abkürzungen verwendet:

Akkr.	= Akkreditiv
Buchf.	= Buchführung
etw.	= etwas
f	= Femininum
jdm	= jemandem
jdn	= jemanden
m	= Maskulin
n	= Neutrum
od.	= oder
pl	= Plural
s.	= siehe
Seevers.	= Seeversicherung
Vers.	= Versicherungswirtschaft

Deutsch	Englisch	Französisch	Italienisch	Spanisch
A				
abbedingen	to contract out	aliéner	escludere	desclausular
abfangen (Mitteilung)	to intercept	intercepter	intercettare	interceptar
Abladegewicht n	shipping weight	poids au déchargement	peso di scarico	peso de descarga
ablehnen	to refuse, to decline, to reject	refuser, décliner, rejeter	rifiutare, respingere, rigettare	declinar, rechazar, rehusar
Ablehnung f	refusal, rejection	refus	rifiuto	rechazo, denegación
Abnehmer m	customer	client, acheteur	cliente	cliente
Abonnement, im ~ abrechnen	on a subscription basis to render accounts; to settle accounts	par abonnement solder	in abbonamento regolare i conti	a base de suscripción ajustar las cuentas
Abrechnung f	rendering of accounts: settlement of accounts	note, décompte, règlement ou solde des comptes	sistemazione dei conti, conteggio	rendición de cuentas; liquidación
abrufen (EDV)*	to retrieve	appeler (texte, donnée)	richiamare	consultar datos, interrogar datos, reclamar datos (de la memoria)
Absatz m	selling, marketing; turnover (in terms of volume), (unit) sales	vente, écoulement, débit	sbocco, distribuzione; vendita	distribución, comercialización, ventas
guten ~ finden	to find a ready market	qui se vend bien	vendersi bene	encontrar buena aceptación, tener buena venta
~mittler m	marketing middleman	médiateur, agent commercial	agente di vendita, intermediario	intermediario de ventas
~schwierigkeiten pl	sales problems	mévente, difficultés d'écoulement	difficoltà di vendita	dificultades de venta
Abschlagszahlung f	payment on account	acompte	pagamento in acconto	pago a cuenta
abschließen	to close, to terminate, to conclude	conclure	chiudere, terminare, concludere, stipulare	concluir, concertar
Abschluß m	closure, conclusion; business concluded, transaction	conclusion	chiusura, conclusione, stipulazione	conclusión de un negocio; negocios concluidos
~ eines Vertrages	conclusion of a contract or agreement	conclusion d'un contract	stipulazione di un contratto	firma de un contrato; conclusión de un contrato

Deutsch	Englisch	Französisch	Italienisch	Spanisch
Abteilungsleiter m	head of department, department head	chef de service	capo reparto	jefe de servicio, jefe de departamento
Abteilwagen m	railway passenger car	wagon à compartiment	carrozza a scompartimenti	coche de pasajeros
Abwicklung von Bestellungen	execution of orders	traitement des commandes	esecuzione di ordini	ejecución de pedidos
Abzug, ohne ~	without deductions	sans remise, sans déduction	senza sconto	sin deducción, neto
AG s. Aktiengesellschaft				
AGB s. Allgemeine Geschäftsbedingungen				
Akkreditiv n	(letter of) credit	lettre de crédit	lettera di credito	crédito documentario; carta de crédito
~bestätigung f	confirmation of a (letter of) credit	confirmation d'une lettre de crédit	conferma di un'apertura di credito	confirmación del crédito documentario
Aktie f	share	action	azione	acción
Aktiengesellschaft f	a form of incorporated enterprise in Germany (similar to the British public limited company or the American open corporation)	société anonyme, société par actions	società per azioni, società anonima	sociedad anónima (alemana)
Aktionär m	shareholder	actionnaire	azionista	accionista
Akzept n	acceptance	acceptation	accettazione	aceptación
Akzeptant m	acceptor	tiré	accettante	aceptante
Alleinerbe m	sole heir	héritier universel	erede universale	heredero universal, heredero único
Alleinimporteur m	sole importer, sole distributor	importateur exclusif	importatore esclusivo	importador en exclusiva, único importador, distribuidor exclusivo
Alleinverkaufsrecht n	sole selling right, exclusive right of sale	droit de vente exclusif	diritto di vendita esclusiva	derecho de venta (en) exclusiva
Alleinvertreter m	sole agent	représentant exclusif	rappresentante esclusivo	representante exclusivo
Alleinvertretung f	sole agency	agence exclusive de distribution	rappresentanza esclusiva	representación (en) exclusiva, agencia exclusiva

Deutsch	Englisch	Französisch	Italienisch	Spanisch
Allgemeine Geschäftsbedingungen	General Terms of Business	conditions générales de vente	condizioni generali di contratto	condiciones generales de venta
Alu-Leiter *f*	aluminium ladder	échelle en aluminium	scala di alluminio	escalera de aluminio
Amtsgericht *n*	local court (*in Germany*)	tribunal de première instance	pretura	juzgado municipal
Anbauregal *n*	modular shelf	étagère à éléments	scaffale componibile	estante de elementos
Anforderungen *pl*	requirements	demande, requête, exigences	esigenze, richieste	requerimientos
~ erfüllen	to meet (to satisfy) requirements	satisfaire la demande, répondre aux exigences	soddisfare le esigenze (le richieste)	satisfacer los requerimientos
Anfrage *f*	enquiry	demande de prix, appel d'offres	richiesta, domanda	solicitud de información
Angebot *n*	offer, quotation, bid, tender; product range, range of goods handled	offre, assortiment	offerta; gamma di prodotti	oferta, gama de productos, surtido
Angefragte (*Firma, über die eine Anfrage vorliegt*)	the subject company	entreprise sur laquelle porte la demande de renseignements	ditta in questione	compañía sobre la que se pregunta
angemessene Frist	reasonable time	un délai convenable	termine adeguato	plazo razonable
Anhang *m* (*an E-Mail*)	attachment	annexe	allegato	anexo, apéndice
Anlage *f*	enclosure	pièce-jointe, annexe	allegato	anexo
~vermerk *m*	enclosure notation	notification des pièces-jointes	indicazione degli allegati	nota sobre el anexo
Anrede *f*	salutation	début de lettre / appel	formula d'apertura di una lettera	(fórmula de) salutación
Anrufbeantworter *m*	(telephone) answering machine	répondeur automatique	segreteria telefonica	contestador (automático de llamadas)
Anspruch *m*	claim	droit	diritto	derecho
jdn für einen Schaden in ~ nehmen	to hold sb responsible for a loss	faire valoir ses droits auprès de quelqu'un	chiamare qd. a rispondere di un danno	hacer responsable a alg. de un daño
Antriebsmotor *m*	drive motor	moteur d'entraînement	motore di azionamento	motor de accionamiento, motor de impulsión

Deutsch	Englisch	Französisch	Italienisch	Spanisch
anweisen	to instruct, to direct	donner l'ordre de faire qc, donner des instructions	ordinare, istruire	ordenar, instruir
Anweisung *f*	instruction	directive, instruction	ordine, istruzione	instrucción
Anwendung *f*	application	utilisation, application	applicazione	aplicación
~sberatung *f*	application support	support d'utilisation	consulenza applicativa	soporte de aplicación
~sbereich *m*	scope of application	champ d'utilisation ou d'application	campo di applicazione	ámbito de aplicación
Anzahlung *f*	down payment	versement d'un acompte	pagamento in acconto, acconto	entrada
Anzeige *f*	advertisement	annonce	inserzione	anuncio
Arbeitsbuch *n*	workbook	livret de travail	libretto di lavoro	libreta de trabajo
Arbeitstag *m*	working day, workday	journée de travail, jour ouvrable	giorno lavorativo, giornata lavorativa	día laborable; jornada laboral
Arbitrage *f*	arbitration	arbitrage	arbitraggio	arbitraje
~klausel *f*	arbitration clause	clause d'arbitrage	clausola arbitrale	cláusula de arbitraje
arglistig	with intention to deceive	de mauvaise foi, astucieux	doloso	con intención de engañar
Artvollmacht *f*	*Handlungsvollmacht* authorizing holder to transact certain kinds of business	procuration autorisant le porteur à réaliser certaines transactions	mandato commerciale (che autorizza il mandatario a compiere un certo tipo di operazioni)	poder especial mercantil (que autoriza al titular a realizar cierta clase de operaciones)
aufarbeiten, Auftrags-rückstand ~	to work off a backlog of orders	mettre à jour l'arriéré de commandes	sbrigare gli ordini arretrati	poner al día los pedidos atrasados
Aufforderung, ein Angebot abzugeben	invitation to make an offer	invitation à soumettre une offre	invito alla presentazione di un'offerta	invitación a hacer una oferta
Aufsichtsrat *m*	supervisory board	conseil de surveillance	consiglio di sorveglianza	consejo de supervisión
Aufstellung *f* (*Auflistung*)	list, schedule	liste, relevé	elenco, distinta	(puesta en) lista, especificación
Aufstellung (*einer Maschine*)	installation	installation, mise en place	installazione, montaggio	instalación
~sversicherung *f*	installation insurance	assurance pour l'installation	assicurazione montaggio	seguro de instalación
Auftrag *m*	order	commande, ordre	ordine	pedido, orden, encargo

151

Deutsch	Englisch	Französisch	Italienisch	Spanisch
~sbestätigung f	acknowledgement of order	confirmation de commande	conferma d'ordine	confirmación del pedido; acuse de recibo de la orden
~sbuch n	order book	carnet de commandes	portafoglio ordini	libro de pedidos
~srückstand m	backlog of orders	arriéré de commandes	ordini arretrati	retraso en la ejecución de pedidos
Ausdruck m (EDV)	printout	impression	stampa	impreso
ausdrücklich	express(ly)	exprès, formel	esplicito, espressamente	expreso, expresamente
Ausfall m	failure, breakdown; (financial) loss	perte, déficit	perdita	pérdida, fallo
Ausgleich (eines Betrages, einer Rechnung)	payment, settlement	paiement, règlement	pagamento	pago
aushandeln	to negotiate	négocier	negoziare	negociar
aushändigen	to hand over, to surrender	remettre, délivrer	consegnare	entregar
Auskunft f	information, reference	renseignement, référence, information	informazione, referenza	información, referencia
~sersuchen n	request for information	demande d'information	richiesta di informazioni	petición de información
Auslagen pl	expenses, outlays	frais, coûts, dépenses	spese	gastos, desembolso
Auslandsabteilung f	foreign department, export department	service du commerce extérieur, service export	reparto estero	departamento extranjero, departamento (de comercio) exterior, departamento de exportación
Auslandshandelskammer f	binational chamber of commerce	chambre du commerce extérieur	camera di commercio estero	cámara de comercio en el extranjero
Auslandsvertreter m	foreign agent	représentant à l'étranger	rappresentante all'estero	agente comercial en el extranjero
ausliefern	to deliver, to hand over	livrer	consegnare	entregar
Ausschuß m (fehlerhafte Produkte)	faulty goods, rejects	marchandise défectueuse, rebut	merce di scarto	productos defectuosos, mercancía rechazada
ausstellen	to exhibit; to make out, to issue	présenter, exposer, émettre	esporre; emettere	exponer; librar, girar

Deutsch	Englisch	Französisch	Italienisch	Spanisch
Aussteller *m*	exhibitor; issuer; drawer (*of a bill of exchange*)	tireur	espositore; emittente	expositor; librador (de una letra)
Ausstellungsdatum *n*	date of issue	date d'émission	data d'emissione	fecha de la libranza
Außenhandelskauf- vertrag *m*	export sales agreement	contrat de vente à l'exportation	contratto di compravendita in commercio estero	contrato de compraventa internacional
Außenhandels- unternehmen *n*	(business) enterprise engaged in foreign trade	entreprise de commerce extérieur	impresa commercio estero	empresa dedicada al comercio exterior
Außenstände *pl*	outstanding accounts	créances	crediti	cuentas pendientes, cobros pendientes, créditos a cobrar
Außenverpackung *f*	external packaging	emballage extérieur	imballaggio esterno	embalaje exterior
Außenwirtschaft *f*	foreign trade	économie extérieure	commercio estero	comercio exterior
automatisieren	to automate	automatiser	automatizzare	automatizar
Automatisierung *f*	automation	automatisation	automatizzazione	automa(tiza)ción
Automobilzuliefer- industrie *f*	automotive parts industry	industrie de sous- traitance automobile	indotto dell'industria automobilistica	industria auxiliar del automóvil
B				
Bahnfracht *f*	railway freight, rail carriage	transport par chemin de fer, port à payer pour un tel transport	nolo ferroviario	transporte por ferrocaril, transporte ferroviario
Ballen *m*	bale	ballot	pezza	bala, bulto, fardo
Bankakzept *n*	banker's acceptance	acceptation bancaire	accettazione bancaria	aceptación bancaria
Banküberweisung *f*	bank transfer	virement bancaire	rimessa bancaria	transferencia bancaria, giro bancario
Barscheck *m*	open cheque	chèque non barré, à vue	assegno circolare	cheque abierto
Baureihe *f*	series	série	serie	serie
Bausteinverarbeitung *f*	(text) module system	traitement de texte par modules	elaborazione schemi (di testo)	sistema modular, sistema por módulos
beanstanden	to complain (about), to object (to)	réclamer, contester	contestare, reclamare	poner reparos a, hacer objeción a
bearbeiten, einen Markt ~	to work a market, to develop a market	exploiter un marché, développer les activités sur un marché	operare su un mercato	trabajar un mercado, desarrollar las ventas

Deutsch	Englisch	Französisch	Italienisch	Spanisch
Bearbeitungszentrum n	machining centre	centre d'usinage	centro di lavorazione	centro de mecanizado
Bedarf haben (an)	to need, to require	avoir besoin de	necessitare, avere bisogno di qc.	necesitar, requerir
Bedenken, ohne ~	without hesitation	sans réserve, sans hésitation	senza esitazioni	sin reparo, sin objeción, sin reserva
Bedienungsanweisung f	instruction manual, operator's manual	mode d'utilisation	istruzioni per l'uso	instrucciones para el servicio
Bedienungsfehler m	operator error	erreur de commande	errore d'esercizio, errore d'uso	manejo erróneo; fallo en el uso
Beförderung f (Waren)	conveyance, transport	transport, acheminement	trasporto	transporte, acarreo
~skosten pl	carriage, freight charges	frais de transport	spese di trasporto	gastos de transporte
befristet (Angebot)	open for a specific period of time	offre à durée limitée	a tempo determinato	(oferta) a plazo, oferta válida para un determinado período
Beglaubigung f	certification; legalization	légalisation, certification	autenticazione	legalización
begleichen, eine Rechnung ~	to pay (to settle) an invoice	payer, régler une facture	saldare (pagare) una fattura	pagar una factura, liquidar una factura
Begleichung einer Rechnung	payment (settlement) of an invoice	règlement d'une facture	pagamento di una fattura	pago de una factura, liquidacion de una factura
Begleitpapier n	document accompanying the goods	papier d'accompagnement	documento d'accompagnamento	documentación (que acompaña a la mercancía)
Begünstigter (Akkr.)	beneficiary	bénéficiaire	beneficiario	beneficiario
beheben, einen Mangel ~	to remedy a failure or defect	remédier à un défaut	eliminare un difetto o vizio	eliminar un defecto
Bekleidungsunternehmen n	clothing manufacturer	entreprise de confection	impresa di abbigliamento	fábrica de confección
belasten (Buchf.)	to debit	débiter	addebitare	cargar en cuenta, debitar
Benachrichtigung f	advice, notification, notice	avis, information	avviso, notifica, notizia	aviso, comunicación, información
Beraubung f	pilferage	vol	rapina, furto	robo, expoliación
berechnen	to charge	facturer	calcolare, addebitare	poner en cuenta, cargar en cuenta
berechtigte Beschwerde	justified complaint	reclamation justifiée	reclamo giustificato	reclamación justificada, queja justificada

Deutsch	Englisch	Französisch	Italienisch	Spanisch
Bereich m	area, field, sphere; division	domaine, secteur, ressort, champ	ambito, area, campo, settore	área, campo, esfera; división
berichtigen	to correct, to adjust	corriger, rectifier, ajuster	correggere, rettificare	corregir, ajustar
Beschädigung f	damage	dommage, avarie	danno, danneggiamento	daños, deterioro
Beschaffungsvorgang m	procurement procedure	processus d'approvisionnement	procedura di approvvigionamento	operación de aprovisionamiento
beschäftigen	to occupy; to employ	employer, occuper	occupare; impiegare	emplear, dar trabajo
Beschäftigungslage f (eines Unternehmens)	(degree of) capacity utilization	utilisation des capacités	capacità utilizzata	utilización de la capacidad, capacidad utilizada
beschränkte Haftung	limited liability	responsabilité limitée	responsabilità limitata	responsabilidad limitada
beschriften, Packstücke ~	to mark (shipping) packages	marquer, marquer les colis	segnare i colli	etiquetar bultos (para transporte marítimo)
Beschwerde f	complaint	plainte, réclamation	reclamo, protesta	reclamación, queja
bestätigen	to confirm; to acknowledge	confirmer	confermare	confirmar; acusar recibo
bestätigtes Akkreditiv	confirmed (letter of) credit	lettre de crédit confirmée	lettera di credito confermata	crédito documentario confirmado
Bestätigung f	confirmation; acknowledgement	confirmation,	conferma	confirmación
~ des Vertragsab-schlusses	confirmation of the contract	confirmation de la conclusion d'un contrat	conferma del contratto	confirmación del contrato
bestellen	to order; to engage, to appoint	commander, nommer	ordinare; nominare	pasar un pedido, ordenar; nombrar
einen Schiedsrichter ~	to appoint an arbitrator	nommer un arbitre	nominare un arbitro	nombrar un árbitro
Besteller m	customer, buyer	acheteur, client	cliente, acquirente	comitente, ordenante, cliente, comprador
Bestellschein m	order form	bon de commande	bollettino d'ordinazione	nota de pedido, hoja de pedido
Bestellung f	order	commande	ordinazione	encargo, pedido, orden
~en abwickeln	to process orders	traiter les commandes	eseguire ordinazioni	tramitar un pedido
Bestimmungshafen m	port of destination	port de destination	porto di destinazione	puerto de destino
Bestimmungsland n	country of destination	pays de destination	paese di destinazione	país de destino
Bestimmungsort m	place of destination	lieu de destination	luogo di destinazione	lugar de destino
Betreff n	subject	objet	oggetto	asunto, objeto

Deutsch	Englisch	Französisch	Italienisch	Spanisch
Betrieb m	business, plant, factory; operation	entreprise, exploitation, établissement	azienda, fabbrica, stabilimento; esercizio	negocio, explotación, planta, factoría; operación
~sstörung f	equipment failure, breakdown, trouble	perturbation au sein de l'entreprise	interruzione dell'esercizio	avería, interrupción del funcionamiento
Bevollmächtiger	person granted authority (agent)	mandant	delegato, mandatario	apoderado, poderhabiente
bevollmächtigt	authorized	fondé de pouvoir, mandataire	autorizzato	autorizado
bewerben	to apply (for)	poser sa candidature, postuler	presentarsi per, fare domanda di	presentarse a; presentarse como, solicitar u. c.
beziehen (Waren)	to buy, to purchase	acheter	acquistare	comprar, adquirir
Bezogener	drawee	tiré	trattario	librado
Bezugsquelle f	source of supply	source d'approvisionnement	fonte d'acquisto	fuente de aprovisionamiento
Bezugszeichen n	reference	références	riferimento	referencia
BGB s. Bürgerliches Gesetzbuch				
Bindung, vertragliche ~	contractual commitment	obligation contractuelle	vincolo contrattuale	obligación contractual
Binnengewässer n, pl -	inland waterway(s)	eaux intérieures	acque continentali, corsi d'acqua nazionali	aguas interiores
Binnenmarkt, der Europäische ~	the single European market	marché unique européen	Mercato interno europeo	el mercado único europeo
Binnenschifffstransport m	inland waterway transport	transports fluviaux	trasporto per navigazione interna	transporte por aguas interiores
bituminiertes Papier	bituminized paper	papier bituminé	carta bitumata	papel bituminoso
Bläschen n	small bubble	petite bulle d'air	bollicina	burbujita
Bodenfräse f	cultivator	motoculteur	zappatrice rotante, fresa	fresa labradora, arado fresador
Bordkonnossement n	on board bill of lading	connaissement reçu à bord	polizza di carico «a bordo»	conocimiento de embarque (a bordo)
Brauerei- und Mälzereigeräte pl	brewery and malting-plant equipment	appareils pour brasserie et malterie	attrezzature per fabbriche di birra e per malterie	equipos de cervecería y maltería
Brennerei f	distillery	distillerie	distilleria	destilería
Brennofen m	kiln	four céramique	forno di cottura	horno de calcinación

Deutsch	Englisch	Französisch	Italienisch	Spanisch
Briefblatt n	letter sheet, letterhead	feuille de papier à lettres	foglio da lettera	hoja de (la) carta
Briefkopf m	heading, letterhead	en-tête	intestazione della lettera	membrete
Bruttogewicht n	gross weight	poids brut	peso lordo	peso bruto
Buchhaltung f	bookkeeping; bookkeeping department, accounts department	comptabilité	contabilità, ragioneria	teneduría de libros; departamento de contabilidad
Buchmesse f	book fair	salon du livre, foire du livre	fiera del libro	feria del libro
Buchungstag m	date of entry	date d'entrée	giorno della registrazione	día de anotación, día de registro
Bürgerliches Gesetzbuch	(German) Civil Code	code civil (allemand)	Codice civile (germanico)	código civil (alemán)
Büroklammer f	paper clip	trombone	fermaglio	sujetapapeles, clip
C				
CIF-Spesen pl	CIF charges	taux CAF (coût-assurance-frais)	spese cif	gastos CIF
CNC Fräs- und Bohr-maschine f	CNC (computer numerically controlled) milling and boring machine	fraiseuse-perceuse à commande numérique	fresatrice e trapanatrice a controllo numerico computerizzato	fresadora y taladradora de control numérico por ordenador
Comm. = Commission f	(customer's) order	ordre	ordine, commissione	orden
D				
Damenkostüm n	lady's suit	tailleur	tailleur per signora	traje de chaqueta, traje de señora
Datenbank f	database	banque de données	banca dati	base de datos
Debet-Nota f	debit note, debit memo	note de débit	nota di addebito	nota de cargo
Debitkarte f	debit card	carte de débit	carta a debito	tarjeta de débito
decken, Bedarf ~	to cover requirements	couvrir les besoins	coprire il fabbisogno	cubrir las necesidades
~ Versicherung ~	to effect (to provide) insurance	couvrir une assurance, prendre une assurance à sa charge	provvedere alla copertura assicurativa	provisionar seguro
Delkredere n	del credere	ducroire	star del credere	delcrédere

Deutsch	Englisch	Französisch	Italienisch	Spanisch
Deutscher Bundestag	lower house of German Parliament	parlement, Bundestag	Parlamento federale tedesco	cámara baja del Parlamento alemán
Devisengeschäfte *pl*	foreign exchange transactions	opérations de change	operazioni in valuta estera	operaciones de cambio, operaciones de divisas
Diebstahlsicherung *f*	theft-protection device	dispositif anti-vol	dispositivo antifurto	(aparato de) protección contra robo
digitale Signatur	digital signature	signature digitale	scrittura digitale	firma digital
Diktat *n*	dictation	dictée	dettato	dictado
Diktatzeichen *pl*	reference initials	initiales de références	sigla di riferimento	iniciales de referencia; iniciales del que dicta y de la mecanógrafa
diktieren	to dictate	dicter	dettare	dictar
Diskont *m*	discount	escompte, remise	sconto	descuento
~kredit *m*	discount credit	crédit à l'escompte	credito di sconto	crédito de descuento
~spesen *pl*	discount charges	frais d'escompte	spese di sconto	gastos de descuento
Diskontierung *f*	discounting	escompte des effets de commerce	sconto, operazione di sconto	descuento
Dokumente gegen Akzept	documents against acceptance	documents contre acceptation	documenti contro accettazione	(orden de entrega de) documentos contra aceptación
Dokumenten-akkreditiv *n*	documentary (letter of) credit	accréditif, lettre de crédit	(lettera di) credito documentario	crédito documentario; carta de crédito documentaria
Drucksachenwerbung *f*	direct-mail advertising	publipostage	pubblicità attraverso stampati	publicidad directa por correo
E				
editieren	to edit	éditer, préparer, travailler un texte	editare, impaginare	revisar; depurar el original
Eiche *f (Holzart)*	oak	chêne	quercia	roble
Eigentümer *m*	owner, proprietor	propriétaire, titulaire d'un titre de propriété	proprietario	propietario, dueño, titular
Eigentumsübergang *m*	transfer of title	transfert de propriété	trapasso di proprietà	transferencia de la propiedad
Eigentumsvorbehalt *m*	reservation of title	réserve quant à la propriété	diritto di riservato dominio, riserva di proprietà	reserva de dominio, reserva de propiedad

Deutsch	Englisch	Französisch	Italienisch	Spanisch
Eilt!	Urgent	urgent	urgente	urgente
Eilzustellung f	express delivery	par express	recapito espresso	entrega urgente, entrega por expreso
einarbeiten	to break in	mettre au courant, initier	impratichire	adiestrar, entrenar
Einfuhrland n	importing country	pays importateur	paese importatore	país importador
Einfuhrlizenz f	import licence	licence d'importation	licenza all'importatore	licencia de importación
Einfuhrumsatzsteuer f	import turnover tax	taxe sur le chiffre d'affaires à l'importation	imposta sul volume delle importazioni	impuesto sobre el volumen de importaciones
einführen	to introduce; to import	introduire, importer	introdurre; importare	introducir; importar
Einführungsrabatt m	launch discount	remise de lancement	ribasso promozionale	rebaja de lanzamiento; rebaja de promoción
Eingabe f (EDV)	input	entrée d'une donnée	immissione, input	entrada
Eingangsprüfung f	inspection (of incoming goods)	contrôle des marchandises à la réception	controllo (della merce ricevuta)	inspección (de la entrada de mercancías)
eingeben (EDV)	to enter, to input	entrer, introduire	immettere, introdurre	introducir, entrar, registrar
einhalten (beachten)	to comply with, to observe, to keep (to)	respecter, observer	osservare, rispettare, attenersi a	cumplir, respetar, observar
Einkaufszentrum n	shopping centre	centre commercial	centro acquisti	centro comercial, galería comercial
Einlage s. Kapitaleinlage				
einleiten, gerichtliche Schritte ~	to take legal steps	entreprendre des démarches judiciaires	promuovere un'azione giudiziaria	iniciar medidas legales; tramitar medidas jurídicas
einloggen, sich ~	to log in	se connecter	collegarsi, introdursi	identificarse; establecer diálogo, entrar en sesión
einlösen	to pay, to honour; to cash, to obtain payment of the amount of a (letter of) credit	payer, encaisser, honorer une traite	onorare, pagare; incassare	pagar, abonar; cobrar

Deutsch	Englisch	Französisch	Italienisch	Spanisch
Einlösung f	payment; encashment, obtaining payment of the amount of a (letter of) credit	paiement, encaissement	estinzione, pagamento; incasso	pago, abono; cobro
einräumen, Kredit ~	to grant credit (or a loan)	accorder un crédit	concedere un credito	otorgar un crédito
Einrichtungshaus n	home furnishing store	maison d'ameublement	salone d'arredamento	tienda de muebles
Einsatzbereitschaft f (von Maschinen)	serviceability	état de marche	(macchina) pronta all'uso	disponibilidad, operatividad, funcionabilidad
einsetzen, sich nach besten Kräften ~	to use one's best efforts	faire tout son possible pour	far di tutto per	emplearse a fondo para
Einschneidefräser- Schleifmaschine f	grinding machine for single-lip cutters	rectifieuse pour fraise à un tranchant	rettificatrice per fresa ad un tagliente	lama-rectificadora
Einschreiben	Registered	en recommandé	raccomandata	certificado
Eintragung f	entry, registration	enregistrement	iscrizione, registrazione	inscripción, registro
Einzelauskunft f	special report	renseignement individuel	informazione individuale	informe especial, informe individual, informe particular
Einzelkaufmann m, pl ~kaufleute	sole trader, sole proprietor	commerçant en nom personnel	commerciante in proprio	comerciante individual, comerciante particular, comerciante en nombre personal
Einzelpolice f	voyage policy	police individuelle	polizza individuale	póliza individual
Einzelpreis m	unit price	prix unitaire	prezzo unitario	precio por unidad
Einzelvollmacht f	Handlungsvollmacht authorizing holder to carry out a single transaction	procuration ou plein pouvoir portant sur une action définie	mandato commerciale speciale (che autorizza il mandatario a compiere un' operazione specifica)	poder especial (que autoriza a su titular a realizar una operación especial)
einziehen	to collect	recouvrer	riscuotere, incassare	cobrar
Einzug von Forderungen	collection of outstanding accounts	recouvrement des créances	incasso di crediti	cobro de cuentas pendientes
Eisenbahntransport m	transport by rail	transports par voie ferrée	trasporto per ferrovia	transporte por ferrocarril
Elektroantrieb m	electric drive	commande électrique	trazione elettrica	accionamiento eléctrico

Deutsch	Englisch	Französisch	Italienisch	Spanisch
elektronische Ausrüstung	electronic controls	équipement électronique	attrezzatura elettronica	equipo electrónico; controles electrónicos
elektronischer Handel	electronic commerce, e-commerce	commerce électronique	commercio elettronico	comercio electrónico, comercio-e, e-comercio
Empfänger *m*	recipient; addressee; consignee	destinataire, réceptionnaire	destinatario	destinatario; perceptor; consignatario
Empfangsbestätigung *f*	acknowledgement of receipt	accusé de réception	conferma di ricevimento, conferma di ricevuta	acuse de recibo
Empfangskonnossement *n*	received for shipment bill of lading	connaissement «reçu pour embarquement»	polizza ricevuta per imbarco	conocimiento de embarque recibido
Endverbraucher *m*	ultimate consumer, end user	consommateur (final)	consumatore (finale)	consumidor final
Endverkaufspreis *m*	final selling price	prix de vente final	prezzo di vendita finale	precio a pagar por el consumidor final
entgangener Gewinn	loss of profit	manque à gagner	perdita di profitto	lucro cesante, pérdida de beneficios
Entladung *(von Gütern) f*	unloading, discharge	déchargement	scaricamento	descarga
Entwurf *m*	draft	brouillon, ébauche, project	proposta, disegno	projecto, borrador, plano
Erbringung von Dienstleistungen	provision of services	prestation de services	prestazione di servizi	provisión de servicios
Erfüllung *f (eines Vertrages)*	performance	exécution	adempimento	cumplimiento
Erfüllungsort *m*	place of performance	lieu d'exécution	luogo di esecuzione	lugar de cumplimiento; lugar de ejecución
Erfüllungsverlangen *n*	request for specific performance	demande d'accomplissement	richiesta di adempimento	requerimiento de un cumplimiento específico
Ergänzung, zur ~ des Sortiments	to round off the merchandise range	pour compléter l'assortiment	per completare l'assortimento	para redondear el surtido, para completar la oferta
Ergometer *m*	ergometer	ergomètre	ergometro	ergómetro

161

Deutsch	Englisch	Französisch	Italienisch	Spanisch
Erlöschen der Prokura	termination of *Prokura*	expiration de la procuration ou des pleins pouvoirs attribués	estinzione della procura	cesación del poder
eröffnende Bank (*Akkr.*)	opening bank	banque émettrice	banca che apre il credito	banco que abre un crédito documentario
Eröffnung eines Akkreditivs	opening of a (letter of) credit	ouvrir un accréditif	apertura di un credito	apertura de un crédito documentario
Eröffnungsanzeige *f* (*Akkr.*)	advice of credit opened	avis d'ouverture d'un accréditif	avviso d'apertura di credito	aviso de apertura
Ersatz für Auslagen	reimbursement of expenses	remboursement des frais	rimborso spese	reembolso de los gastos
Ersatzkraft *f*	replacement, substitute	remplaçant, remplaçante	sostituto(a), supplente	sustituto
Ersatzlieferung *f*	replacement, substitute delivery	livraison de remplacement	fornitura di sostituzione (della merce)	reposición, sustitución, reemplazo
Ersatzteil *n*	spare part	pièce de rechange	pezzo di ricambio	pieza de recambio, pieza de repuesto
erschließen, einen Markt ~	to open up a market, to develop a market	développer, exploiter un marché	aprire un mercato	abrir un mercado, desarrollar un mercado
ersetzen, jdm einen Schaden ~	to compensate sb for a loss	dédommager qn	risarcire un danno a qd.	indemnizar un daño a alg.; resarcir de un daño a alg.
Erstauftrag *m*	first order, initial order	première commande	primo ordine	primer pedido, primera orden, primer encargo
erstellen (*Rechnung, Bericht*)	to draw up, to prepare	établir, rédiger	redigere, stilare	preparar, confeccionar, redactar
erteilen, Auftrag ~	place an order; to instruct	passer une commande	conferire un ordine; dare un ordine	pasar un pedido, hacer un pedido
Prokura ~	to grant *Prokura*	donner procuration à qn	conferire procura	otorgar poder
EU s. Europäische Union				
EU- Richtlinie	EU directive	directive de l'UE	direttiva UE	directiva de la UE
Europäische Gemeinschaft	European Community	Communauté européenne	Comunità Europea	Comunidad Europea
Europäische Union	European Union	Union européenne	Unione Europea	Unión Europea

162

Deutsch	Englisch	Französisch	Italienisch	Spanisch
Europäische Wirtschafts- und Währungsunion	European Economic and Monetary Union	Union économique et monétaire européenne	Unione europea economica e monetaria	Unión Económica y Monetaria Europea
F				
Facharbeitermangel *m*	shortage of skilled workers	manque d'ouvriers spécialisés	carenza di operai specializzati	escasez de trabajadores cualificados
Fachhandel *m*	specialized trade	commerce spécialisé	commercio specializzato	comercio especializado
Fachpresse *f*	technical press	presse spécialisée	stampa specializzata	prensa especializada
Fachverband *m*	trade association	association professionnelle	associazione di categoria	asociación profesional, agrupación profesional
Fachverlag für Sprachen	publishing house specializing in foreign languages	maison d'édition spécialisée dans les langues	casa editrice specializzata nel settore linguistico	editorial especializada en lenguas extranjeras
Fachzeitschrift *f*	technical journal	revue spécialisée	rivista specializzata	revista especializada, revista técnica
Fahrlässigkeit *f*	negligence	négligence	negligenza	negligencia, imprudencia
Faktura *f*	invoice	facture	fattura	factura
fällig	due, payable	dû, payable, échu	scaduto, esigibile	debido, pagadero, vencido
Fälligkeit *f*	maturity, due date	échéance	scadenza	(fecha de) vencimiento
Faltkarton *m*	folding box	carton pliant	cartone pieghevole	caja plegable
Faß *n*, *pl* Fässer	barrel	fût, barrique	botte, barile	barril
fehlerhaft	faulty	défectueux	difettoso	defectuoso, en mal estado
Fehlgewicht *n*	short weight	poids manquant	ammanco di peso	falta de peso
fehlleiten	to misroute	faire un erreur d'acheminement	recapitare all'indirizzo sbagliato, sviare	dar curso equivocado; dirigir erradamente
Fehlmenge *f*	deficiency in quantity, shortage	quantité manquante	quantità mancante, ammanco di merce	deficiencia en cantidad, merma en cantidad
Fensterbriefhülle *f*	window envelope	enveloppe à fenêtre	busta con finestrata	sobre de ventana
Fertigteil *n*	prefabricated component	élément préfabriqué	pezzo prefabbricato	pieza prefabricada, pieza terminada
Fertigungsablauf *m*	production process	processus de fabrication	procedimento produttivo	proceso de producción

Deutsch	Englisch	Französisch	Italienisch	Spanisch
Fertigungsprogramm n	product range	programme de fabrication	gamma dei prodotti	programa de fabricación; gama de productos
Fertigungsvorgang m	manufacturing operation	fabrication, déroulement de la fabrication	processo di fabbricazione	operación de fabricación
Feuerlöscher m	fire extinguisher	extincteur	estintore	extintor de incendios
Filiale f	branch (office)	filiale, succursale	filiale	filial
Firma f	(business) enterprise, firm; firm name, corporate name	firme, établissement; raison sociale	impresa, ditta; ragione sociale	empresa; firma, razón social
Firmengeschichte f	company history	histoire d'une entreprise	storia dell'impresa, storia aziendale	historial de la empresa, historia de la empresa
Firmennachweis m	providing names and addresses of potential business partners; trade enquiry services	relevé / liste de clients / fournisseurs / partenaires potentiels	elenco di nomi ed indirizzi di potenziali clienti / fornitori / partner d'affari	informe de nombres y direcciones de clientes / suministradores potenciales
flüssige Mittel pl	liquid funds	capitaux disponibles, trésorerie	mezzi liquidi	fondos disponibles, medios líquidos
Folgeseite f	continuation sheet	page suivante	pagina seguente	hoja que va a continuación; página siguiente
Folie f	(plastic) film, foil	feuille (d'aluminium, ou de plastique etc.)	foglia, film, lamina	lámina; hoja; película
Förderanlage f, Fördersystem n	conveyor system, materials handling system	installation de transports ou de production	impianto per il trasporto di materiale	instalación de transporte de material
Forschung und Entwicklung	research and development	recherche et développement	ricerca e sviluppo	investigación y desarrollo
Frachtbrief m	consignment note, waybill	lettre de voiture	lettera di vettura	carta de porte, talón de ferrocarril
Frachtführer m	carrier	transporteur, voiturier	vettore	porteador transportista
Frachtgut n	freight	fret, marchandise transportée	nolo, carico	carga
Frachtsatz m	freight rate	taux de fret	tariffa di nolo	tasa de flete
frei Grenze	franco border	franco frontière	franco frontiera, franco confine	franco frontera
frei Haus	franco domicile	franco domicile	franco domicilio	franco domicilio

Deutsch	Englisch	Französisch	Italienisch	Spanisch
freibleibend (Angebot)	without engagement, subject to confirmation	sans engagement	senza impegno	(oferta) sin compromiso
Freiexemplar n	complimentary copy	exemplaire gratuit, spécimen	copia gratuita	ejemplar gratuito
Frist f	(period of) time	délai	termine	(periodo de) tiempo; plazo
fristgemäß	within the period stipulated	dans les délais fixés	entro il termine stabilito	dentro del plazo fijado
Frühbezugsrabatt m	early order discount	remise pour commande précoce	ribasso per ordini immediati	descuento por orden anticipada
fundiert, gut ~	well-founded, solidly based	bien établie, solide	solido, di solida struttura	bien fundamentado, de base sólida
G				
gängig	popular, in frequent demand	courant, usité	richiesto, di facile smercio	corriente; de fácil salida
Garantie f	guarantee, warranty	garantie	garanzia	garantía
unter die ~ fallen	to be covered by the guarantee	être couvert par la garantie	coperto da garanzia, in garanzia	estar bajo la garantía
~bedingungen pl	terms of the guarantee	conditions de garantie	condizioni di garanzia	condiciones de la garantía
~klausel f	guarantee clause, warranty clause	clause de garantie	clausola di garanzia	cláusula de garantía
~zeit f	guarantee period	durée de garantie	periodo di garanzia, durata della garanzia	periodo que cubre la garantía
Garnitur f	set	garniture, jeu, assortiment	gruppo, set	juego
Gaskesselwagen m	gas tank car	wagon-citerne pour le gaz	vagone cisterna gas	coche cisterna de gas
gebohrte Perle	pierced pearl	perle percée	perla perforata	perla perforada
Gebühren pl	fees, charges	frais, droits	tasse, diritti	derechos, tasas
Gefahrenübergang m	passing of the risk, transfer of the risk	transfert de risque	trapasso del rischio	transferencia del riesgo, transmission del riesgo
Gegenangebot n	counter-offer	contre-offre, contre-proposition	controfferta	contraoferta

Deutsch	Englisch	Französisch	Italienisch	Spanisch
Gegenstand m (eines Gesetzes, Vertrages)	subject-matter	objet, sujet	oggetto	objeto
geltend machen, ein Recht ~	to assert a right	faire valoir un droit	far valere un diritto	hacer valer un derecho
Gemeinschaftsgründung f	joint venture	création d'une entreprise commune	costituzione in compartecipazione	fundación de empresas en colaboración
Gemüsekonserven pl	tinned (canned) vegetables	conserves de légumes	conserve di verdura	conservas vegetales
Generalpolice f	open policy	police générale	polizza generale	póliza sin valor declarado, póliza no valorada
Generalvollmacht f	Handlungsvollmacht authorizing holder to carry out all transactions normally arising in a particular business	pleins pouvoirs	mandato commerciale generale (che autorizza il mandatario a compiere tutte le operazioni inerenti l'attività aziendale)	poder general (que autoriza al titular a llevar a cabo todas las operaciones inherentes a un ramo particular)
geräucherte Eiche	fumed oak	chêne fumé	quercia affumicata	roble ahumado
Gericht, ordentliches ~ (im Unterschied zum Schiedsgericht)	court of law	tribunal judiciaire	tribunale ordinario	tribunal ordinario
gerichtliche Schritte einleiten	to take legal steps, to institute legal proceedings	entamer une procédure judiciaire	procedere in via giudiziaria	iniciar medidas judiciales
Gerichtsstand m	venue (place of the court which is to have jurisdiction)	juridiction, compétence	foro competente	tribunal competente, jurisdicción competente; fuero
Gerichtsverfahren n	legal action, legal proceedings	procédure judiciaire	procedimento giudiziario	procedimiento judicial; proceso, pleito
Gesamtpreis m	total price	prix total	prezzo totale	precio total
Geschäftsbetrieb, in kaufmännischer Weise eingerichteter ~	business requiring a commercial organization	exploitation commerciale dûment équipée	attività che richiede un'organizzazione commerciale	negocio que requiere organización comercial
Geschäftsbeziehung(en)	business relationship, business connections, business relations	relations commerciales	relazione d'affari, rapporto d'affari	relaciones comerciales, relaciones de negocio
Geschäftsführer m	manager	directeur	amministratore	gerente

Deutsch	Englisch	Französisch	Italienisch	Spanisch
Geschäftsführung f	management	direction	amministrazione, gestione aziendale	gerencia
Geschäftspartner m	business partner	partenaire commercial	partner d'affari, contraente	socio comercial, partenaire comercial
Geschäftsverbindung(en)	business relationship, business connections, business relations	relations d'affaires	rapporto d'affari	relaciones comerciales, relaciones de negocio
Gesellschaft mit beschränkter Haftung	a form of incorporated enterprise in Germany (similar to the British private limited company or the American close corporation)	société à responsabilités limitées (S.A.R.L.)	società a responsabilità limitata	sociedad (de responsabilidad) limitada
Gesellschafter m	partner	associé, actionnaire	socio	socio
Gesellschaftsvermögen n	partnership assets; company assets	actif social, patrimoine de la société	patrimonio sociale	patrimonio social
Gesetzgebungsverfahren n	legislative process	procès contre la législation	procedura legislativa	procedimiento legislativo
gesetzlicher Vertreter gesichert (Kredit)	statutory agent secured	représentant légal assuré	rappresentante legale garantito	representante legal con garantía, garantizado
Gewährleistungsanspruch m	warranty claim	droit de prestation de garantie	diritto a garanzia	derecho a saneamiento; derecho a garantía
Gewährleistungsfrist f	warranty period	délai de prestation de garantie	periodo di garanzia	plazo de garantía
Gewährleistungspflicht f	warranty	obligation de prestation de garantie	obbligo di garanzia	obligación de instituir garantía
Gewerbetreibender	businessman (anyone carrying on a trade or business)	commerçant, l'artisan, l'industriel	esercente di un'attività commerciale, industriale o artigianale	el que ejerce una actividad comercial o industrial
Gewerkschaft f	trade union, labor union	syndicat	sindacato	sindicato
Gewichtsnota f, pl ~noten	weight note	spécification des poids	nota di peso	nota de peso
Glaswaren pl	glassware	verrerie	vetrerie	cristalería
Gläubiger m	creditor	créancier	creditore	acreedor

Deutsch	Englisch	Französisch	Italienisch	Spanisch
GmbH s. Gesellschaft mit beschränkter Haftung				
Gravier- und Kopierfräsmaschinen pl	engraving and copy milling machines	graveuse-fraiseuse par copiage	macchina per incisioni e fresatrice a riproduzione	fresa buril y fresadora copiadora
Großhandelsunternehmen n	wholesale firm	entreprises de commerce en gros	impresa commerciale all'ingrosso	empresa de venta al por mayor
Gründer m	founder	fondateur	fondatore, socio fondatore	fundador
Grundkapital n	nominal capital (of AG)	capital social (S.A.)	capitale sociale (di una AG)	capital social (de una AG)
Gültigkeit f	validity	validité	validità	validez, vigencia
Güterversicherung f (Seevers.)	cargo insurance	assurance sur les marchandises	assicurazione delle merci trasportate	seguro de carga, seguro de mercancías
gutschreiben	to credit	créditer	accreditare	abonar en cuenta; llevar al haber
Gutschrift f	credit; credit note, credit memo	avoir	accredito	abono en cuenta
Gutschriftsanzeige f	credit note, credit memo	note de crédit	nota d'accredito	aviso de abono (en cuenta)
H				
haftbar, jdn ~ machen	to hold sb liable	rendre qn responsable de	rendere qd. responsabile di qc.	hacer a alguien responsable (de algo)
haften	to be liable	répondre de, être responsable de	rispondere	responder, ser responsable, salir responsable
Haftung f	liability	responsabilité	responsabilità	responsabilidad
beschränkte ~	limited liability	responsabilité limitée	responsabilità limitata	responsabilidad limitada
Handel m	trade, commerce	commerce, le négoce, le marché	commercio	comercio
~sförderungsstelle f	trade promotion agency	bureau de promotion du commerce extérieur	agenzia di promozione commerciale	agencia de promoción comercial
~sgesetzbuch n	(German) Commercial Code	code du commerce	codice commerciale	código (alemán) de comercio
~skammer f	chamber of commerce	chambre de commerce	camera di commercio	cámara de comercio
~srabatt m	trade discount	remise commerciale	ribasso commerciale	descuento comercial

Deutsch	Englisch	Französisch	Italienisch	Spanisch
~srechnung f	commercial invoice	facture commerciale	fattura commerciale	factura comercial
~srecht n	commercial law	droit commercial	diritto commerciale	derecho mercantil
~sregister n	commercial register	registre du commerce	registro delle imprese	registro mercantil
~sverkehr m	commerce, commercial practice	échanges commerciaux	commercio	comercio
~svertreter m	commission agent	représentant de commerce	rappresentante commerciale, agente di commercio	agente comercial
Händler m	dealer, distributor, trader	négociant, commerçant	commerciante, operatore di commercio	comerciante, distribuidor
~rabatt m	trade discount	ristourne accordée à un commerçant	ribasso al commerciante	rebaja concedida a los comerciantes
~vertrag m	dealership agreement	contrat conclus avec un négociant	contratto commerciale	contrato de comercio
Handlungsbevollmächtigter m	person holding *Handlungsvollmacht*	fondé de pouvoir, le mandataire commercial	mandatario commerciale	apoderado especial
Handlungsvollmacht f	authority to act on behalf of a principal (*narrower in scope than Prokura*)	pleins pouvoirs	mandato commerciale (più ristretto della Prokura)	poder especial mercantil (más restringido que el Prokura)
Handwerk n	crafts and trades	artisanat	artigianato	artesanía; oficio
~skammer f	chamber of handicrafts	Chambre des métiers, chambre artisanale	camera dell'artigianato	cámara (oficial) de artesanía
Hannover-Messe f	Hanover Fair	foire de Hannovre	Fiera di Hannover	Feria de Hanover
Hauptniederlassung f	head office	entreprise principale	sede principale	establecimiento principal
Hauptversammlung f	shareholders' meeting	assemblée générale	assemblea generale	junta general
Hauptwerk n	main factory	usine principale	stabilimento principale	factoría principal
Haus, von ~ zu ~ (Vers.)	from warehouse to warehouse	assurance de porte à porte	di porta in porta	puerta a puerta
Haushaltsgeräte pl	household appliances	appareil ménager	elettrodomestici	electrodomésticos
Heftklammer f	staple	agrafe	punto metallico	grapa, sujetapapeles
HGB s. Handelsgesetzbuch				
höhere Gewalt	force majeure	force majeure	forza maggiore	fuerza mayor

Deutsch	Englisch	Französisch	Italienisch	Spanisch
Holz verarbeitende Industrie	woodworking industry	industrie de transformation du bois	industria (di) lavorazione del legno	industria de trabajo de la madera
Holzbearbeitungs- maschine f	woodworking machine	machine à travailler le bois	macchina per la lavorazione del legno	máquina para trabajar la madera
Hörtext m	audiotext	texte-audio	audiotesto	audiotexto
I				
Importlizenz f	import licence	licence d'importation	licenza d'importazione	licencia de importación
Inbetriebnahme f (einer Maschine)	commissioning	mise en service	messa in funzione	puesta en funcionamiento, puesta en marcha
Indossament n	endorsement	endossement	girata	endoso
Industrie- und Handels- kammer f	chamber of industry and commerce	chambre du commerce et de l'industrie	camera dell'industria e del commercio	cámara de comercio e industria
Industrieanlagenbau m	industrial plant construction	construction de complexes industriels	costruzione di impianti industriali	construcción de plantas industriales
Industrieausstellung f	industrial exhibition	foire industrielle	fiera industriale	exposición industrial
industrieller Verwender	industrial user	utilisateur industriel	utente industriale	usuario industrial
Inkasso n	collection	recouvrement, encaissement	incasso	cobro, cobranza
innergemeinschaftlicher Warenverkehr	intra-Community trade	échanges intercommunautaires	scambi intracomunitari	intercambio comunitario de mercancías
instandsetzen	to repair, to restore to sound operating condition	réparer	rimettere in funzione, riparare	reparar, arreglar, poner en condiciones
internationales Privat- recht n	private international law	droit international privé	diritto privato internazionale	derecho internacional privado
J				
juristische Person	juristic person, legal entity	personne juridique	persona giuridica	persona jurídica
K				
kalendermäßig bestimmt	set with reference to the calendar	défini en fonction du calendrier	stabilito come da calendario	fijado con referencia al calendario
Kammerbezirk m	chamber of commerce district	ressort d'une chambre de commerce	circoscrizione della camera di commercio	distrito de la cámara de comercio

Deutsch	Englisch	Französisch	Italienisch	Spanisch
Kapitaleinlage f	capital contribution	apport de capitaux	conferimento di capitale, quota di capitale	aportación de capital
Kapitalgesellschaft f	incorporated enterprise	société de capitaux	società di capitali	sociedad (de carácter) capitalista
Karton m	cardboard box	carton	cartone	caja de embalaje; caja de cartón
Kartonagenfabrik f	cardboard container factory	fabrique de cartonnage	fabbrica di cartonaggi	fábrica de cartonaje
Kaskoversicherung f (Seevers.)	hull insurance	assurance sur corps	assicurazione corpi del ramo trasporto	seguro de casco de buque
Kasse gegen Dokumente	cash against documents	comptant contre documents	pagamento contro documenti	pago contra documentación
Katalog m	catalogue	catalogue	catalogo	catálogo
Kaufinteressent m	prospective customer	acheteur potentiel	acquirente potenziale	cliente potencial, cliente futuro
Kaufmann m, pl Kaufleute	merchant, trader; person having merchant status under German law	commerçant, négociant	commerciante; persona con status commerciale secondo il diritto tedesco	comerciante, negociante; persona con status mercantil para el derecho alemán
kaufmännisch ~er Leiter	commercial business manager	commercial directeur commercial	commerciale direttore commerciale	comercial; mercantil director del área comercial
Kaufrecht n	sales contract law	législation sur les ventes	diritto d'acquisto	derecho regulador de la compraventa
Kaufvertrag m	contract of sale, sales contract, sales agreement	contrat d'achat, contrat de vente	contratto di compravendita	contrato de compraventa
Kelterei f	winery	pressoir	cantina di torchiatura	lagar
Kennmarke des Empfängers	consignee's mark	référence du destinataire	contrassegno del destinatario	marca del consignatario
Keramikwaren pl	pottery ware	poterie	ceramiche	(artículos de) cerámica
KG s. Kommandit-gesellschaft				
KGaA s. Kommandit-gesellschaft auf Aktien				
Kiste f	(wooden) case	caisse	cassa	caja

Deutsch	Englisch	Französisch	Italienisch	Spanisch
Klage f	legal action, lawsuit	plainte, action légale, demande	azione legale, causa	acción legal, demanda
Kleingewerbetreibender	small trader	petit entrepreneur	piccolo commerciante, industriale o artigiano	pequeño comerciante
Kollo n, pl Kolli	(shipping) package	coli	collo	bulto, fardo, paquete
kombinierter Verkehr	integrated transport	transports combinés	trasporto integrato	transporte integrado
Kommandit-gesellschaft f	a form of unincorporated enterprise in Germany (corresponds to the limited partnership)	société en commandite simple	società in accomandita semplice	sociedad comanditaria, sociedad en comandita
Kommanditgesellschaft auf Aktien	a form of incorporated enterprise in Germany (has features of both KG and AG)	société en commandite par actions	società in accomandita per azioni	sociedad en comandita por acciones, sociedad comanditaria por acciones
Kommanditist m	limited partner	commanditaire	socio accomandante	(socio) comanditario
Kommissionär m	commission merchant, consignee	commissionnaire	commissionario	comisionista
Kommissionsgeschäft n	commission business	commerce de consignation	operazioni in conto deposito	operación de comisión
Kommissionslager n, pl ~ od. ~läger	consignment stock	stock de marchandise en commission	deposito, magazzino in conto deposito	depósito de mercancías (en comisión)
Kommissionswaren pl	consignment goods	marchandise en commission	merce in conto deposito	mercancías en comisión
Kommittent m	consignor	mandant, commettant	committente	consignador, comitente; mandatario
Komplementär m	general partner	commandité, associé indéfiniment responsable	socio accomandatario	socio colectivo
Konkurrenz f	competition, competitor(s)	concurrence	concorrenza	competencia; competidores
konkurrenzfähig	competitive	compétitif	competitivo	competitivo
Konkurs m	bankruptcy, failure	faillite, dépôt de bilan	fallimento	quiebra
Konnossement n	bill of lading	connaissement	polizza di carico	conocimiento (de embarque)
Konsignant m	consignor	commettant, consignateur	committente	consignador
Konsignatar m	consignee	commissionnaire	commissionario	consignatario

Deutsch	Englisch	Französisch	Italienisch	Spanisch
Konsignationsgeschäft n	consignment business	affaires sur consignation	operazioni in conto deposito	venta en consignación, venta en depósito
Konsignationslager n, pl ~ od. ~läger	consignment stock	stock de marchandises en consignation	deposito, magazzino in conto deposito	depósito de mercancías en consignación
Konsignationsverkauf m	sale on a consignment basis	ventes par consignation	vendita in conto deposito	venta en consignación
Konsignationswaren pl	consignment goods	marchandise en consignation	merce in conto deposito	mercancías consignadas
Kontakt aufnehmen	to contact, to enter in contact (with)	contacter qn, prendre contact avec qn	prendere contatto	entablar contacto
Kontoauszug m	statement of account	relevé de compte, extrait de compte	estratto conto	extracto de cuenta
Kontokorrentkonto n	current account	compte courant	conto corrente	cuenta corriente
Kontokorrentkredit m	overdraft on current account	crédit sur le compte courant	credito in conto corrente	crédito en cuenta corriente
kontrahieren	to contract; to order	contracter	contrarre	contratar; ordenar
Kooperation f	co-operation, collaboration; strategic alliance	coopération, collaboration	cooperazione, collaborazione	cooperación, colaboración
Kopfbogen m	letter sheet with printed heading, letterhead	papier à en-tête	carta da lettera intestata	hoja con el membrete
Kopiehinweis m	carbon copy notation	mention «copie» sur une lettre	indicazione copia	indicación de copia
Kopierer s. Kopiergerät				
Kopiergerät n	copying machine	photocopieuse	fotocopiatrice	copiadora
Korbmöbel pl	wicker furniture	meubles en rotin	mobili di vimini	muebles de mimbre
Körperschaft des öffentlichen Rechts	public-law corporation	collectivité de droit public	ente di diritto pubblico	entidad de derecho público, corporación de derecho público
Korrespondenzbank f	correspondent bank	banque correspondante	banca corrispondente	banco corresponsal
kostengünstig	low-cost, cheap; cost-effective	à prix avantageux, à bon marché	conveniente, a buon mercato, vantaggioso	a coste favorable, a coste no muy alto
kostenlos	free of charge	gratuitement	gratuito, gratuitamente	(a título) gratuito; franco de porte
Kostenübernahme f	assumption of costs	prise en charge des frais	assunzione delle spese	asunción de los gastos
Kraft, in ~ treten	to become effective	entrer en vigueur	entrare in vigore	entrar en vigor
Kraftfahrzeugzubehör n	motor-car accessories	accessoires automobiles	accessori per autoveicoli	accesorios de automóvil

Deutsch	Englisch	Französisch	Italienisch	Spanisch
Kraftpapier n	kraft paper	papier kraft, papier d'emballage	carta kraft	papel kraft
Kräuteressig m	herb-flavoured vinegar	vinaigre aux herbes	aceto aromatico	vinagre de hierbas
Kreditauskunft f	credit information	renseignements de crédit	informazioni sui crediti	información sobre créditos
~sersuchen n	credit enquiry	demande de renseignements de crédit	richiesta d'informazioni sui crediti	solicitud de información de crédito
Kreditfähigkeit f	creditworthiness, credit standing	solvabilité, fiabilité commerciale	capacità creditizia	solvencia
Kreditkarte f	credit card	carte de crédit	carta di credito	tarjeta de crédito
Kreditverbindlich-keiten pl	loans payable	dettes de crédit	debiti da crediti	créditos a pagar
Kreditwürdigkeit f	creditworthiness, credit standing	solvabilité	capacità di credito	solvencia
kryptografisches Ver-fahren	encryption method	procédé cryptographique	metodo crittografico	sistema critográfico
Kulanzweg, auf dem ~	as a favour to the customer, ex gratia	à l'amiable	in via di correntezza	por via de complacencia; como favor para el cliente
Kundendienst m	customer service	service après-vente	servizio assistenza	servicio técnico; servicio pos(t)venta
~techniker m	service engineer	technicien de service après-vente	tecnico del servizio assistenza	técnico del servicio pos(t)venta
~werkstatt f	service centre	atelier de service après-vente	officina servizio assistenza	taller de servicio técnico
Kurbelwelle f	crank shaft	arbre de manivelle	albero a gomiti	cigüeñal
kürzen, eine Rechnung ~	to make a deduction from an invoice	réduire le montant d'une facture	eseguire una detrazione su una fattura	hacer una deducción de una factura
kurzfristig	short-term	sous peu, à court terme	a breve scadenza	a corto plazo
L				
Ladeeinheit f	unit of freight	unité de chargement	unità di carico	unidad de carga
Lager n, pl – od. Läger (Raum, Gebäude)	warehouse	entrepôt, réserve	magazzino	almacén
~(bestand)	stock (on hand), inventory	stocks, marchandises en stock	scorte, stock di merci	existencias

Deutsch	Englisch	Französisch	Italienisch	Spanisch
Lasten, zu ~ des Käufers	payable by buyer, at buyer's expense	à la charge du client	a carico dell'acquirente	por cuenta del comprador; a cargo del comprador
Lastschriftanzeige f	debit note, debit memo	avis de débit	nota di addebito	aviso de cargo
Lattenkiste f	crate	caisse à claire-voie	gabbia d'imballaggio	cajón de enrejado; jaula
Lattenverschlag m	crate	caisse en lattis	imballaggio a gabbia	enrejado
Ledersitz m	leather seat	siège en cuir	sedile in pelle	asiento de cuero
Lehrbuch n	textbook	livre d'enseignement	libro di testo	libro de texto
Lehrerhandbuch n	teacher's manual	livre du maître	manuale per insegnanti	manual del profesor
Lehrerpaket n	teacher's kit	kit du maître	pacchetto per insegnanti	kit del profesor
Lehrwerk n	textbook	livre d'enseignement	libro di testo	libro de texto
Leistung f	output, capacity; performance	accomplissement, prestation	prestazione, rendimento; potenza	cumplimiento; ejecución
Leistungsfähigkeit f	capacity, efficiency; capacity	capacité, productivité, puissance de rendement	capacità, efficienza	capacidad, eficiencia
Leiter der Fertigung	production manager	chef de production	direttore della produzione	gerente de producción
Leitwörter für Bezugszeichen	printed words indicating the space reserved for references	mentions de références	parole indicanti lo spazio riservato ai riferimenti	palabras impresas que indican el espacio reservado para las referencias
lfd. m. = laufender Meter	running metre	mètre courant	metro lineare	metro corriente
Lieferant m	supplier	fournisseur	fornitore	proveedor, suministrador
Lieferbarkeit f	availability	disponibilité d'une marchandise	disponibilità	disponibilidad
Lieferbedingungen pl	terms of delivery; terms of sale	conditions de livraison	condizioni di consegna	condiciones de suministro
Lieferdatum n	delivery date	date de livraison	data di consegna	fecha de suministro
Lieferklauseln pl	terms of delivery, trade terms	clause de livraison	clausole di consegna	condiciones de suministro
Lieferprogramm n	product range	gamme de produits	gamma dei prodotti	gama de productos
Lieferschein m	delivery note	bon de livraison	bolla di consegna	talón de entrega
Lieferstörungen pl	problems regarding delivery	problèmes concernant la livraison	problemi inerenti la consegna	problemas en la entrega
Lieferungsbedingungen pl	terms of delivery	conditions de livraison	condizioni di consegna	condiciones de suministro

Deutsch	Englisch	Französisch	Italienisch	Spanisch
Lieferungsverzug *m*	failure to meet delivery obligations, default in delivery	non-respect du délai de livraison, défaut de livraison	mora nella consegna	incumplimiento del plazo de suministro
Lieferverzögerung *f*	delay in delivery	retard de livraison	ritardo nella consegna	retraso en el suministro
Lieferzeit *f*	delivery time	délai de livraison	termine di consegna	plazo de entrega, plazo de suministro
Liquidität *f*	liquidity	liquidité, trésorerie	liquidità	liquidez
Liquiditätsanspannung *f*	strain on liquidity	gêne de trésorerie	drenaggio di liquidità	restricciones de liquidez
Listenpreis *m*	list price	prix-catalogue, prix-barème	prezzo di listino	precio de lista, precio de catálogo
Lizenz *f*	licence	licence	licenza	licencia
in ~ herstellen	to manufacture under licence	produire sous licence	fabbricare su licenza	fabricar bajo licencia
~fertigung *f*	manufacture under licence	fabrication sous licence	produzione su licenza	fabricación bajo licencia
~geber *m*	licensor	concédant, détenteur de licence	concedente di licenza	otorgante de licencia; cedente de una licencia
~gebühr *f*	licence fee	droits d'exploitation d'une licence	diritto di licenza	derechos de licencia
~nehmer *m*	licensee	requérant de licence	titolare di licenza, licenziatario	tomador de licencia; concesionario de una licencia
~vertrag *m*	licence agreement	contrat de licence	contratto di licenza	contrato de licencia
Lok (= Lokomotive) *f*	locomotive	locomotive	locomotiva	locomotora
Löschung *f*	cancellation, deletion; unloading, discharge (*of cargo*)	radiation; déchargement	cancellazione, estinzione; scarico	cancelación; descarga
Luftfracht, per ~	by airfreight	par fret aérien	trasporto via aerea	por flete aéreo
Luftpost, per ~	by airmail	(courrier) par avion	via aerea	por vía aérea, por avión
M				
Maastrichter Vertrag	Maastricht Treaty	traité de Maastricht	Trattato di Maastricht	Tratado de Maastricht
Mahnkosten *pl.*	dunning expenses	frais d'avertissement	spese d'ingiunzione	gastos de requerimiento
Mahnung *f*	reminder, request (*for delivery or payment*)	sommation, avertissement, rappel, mise en demeure	sollecito	recordatorio; carta de reclamación, carta monitoria, carta exhortatoria

Deutsch	Englisch	Französisch	Italienisch	Spanisch
Mängel geltend machen	to raise a warranty claim	faire un recours en garantie pour vice de conformation	denunciare dei vizi (difetti)	hacer valer defectos
Mangel m	fault, defect, deficiency	défaut, vice	vizio, difetto	defecto, deficiencia, vicio
mangelhaft	faulty, defective	défectueux, non conforme	difettoso, viziato	defectuoso, deficiente; con vicios
Mängelrüge f	notice of defect	réclamation	denuncia dei vizi	reclamación por vicios; reclamación por defectos
Markierung f	marking	marquage	marcatura	marcado
Markttest m	market test	test de marché	studio di mercato	prueba de mercado
Maschinenbausektor m	machine-building industry	secteur de la construction mécanique	industria meccanica	sector de construcción de maquinaria
Maschinenschaden m	engine trouble	panne de machines	guasto alle macchine	daño en una máquina; avería de máquina
Maske f (Schema für die Dateneingabe)	mask	masque	maschera	máscara
Material- oder Arbeitsfehler	faulty material or workmanship	défaut de matériel ou de fabrication	difetto di materiale o di lavorazione	defecto del material o fallo en el trabajo
Materialbeschaffung f	procurement of materials	approvisionnement, fourniture de matériel	approvvigionamento di materiale	obtención de material, adquisición de material
Mehrkosten pl	additional costs, extra costs	frais supplémentaires	spese supplementari	costes adicionales
Mehrwertsteuer f	value-added tax	la T.V.A. (la taxe sur la valeur ajoutée)	IVA (imposta sul valore aggiunto)	impuesto sobre el valor añadido (IVA)
Meinungsverschiedenheit f	dispute	différend	divergenza d'opinioni	disputa, discrepancia de pareceres
Mengenrabatt m	quantity discount	rabais / remise sur la quantité	ribasso di quantità	descuento por cantidad
Messgerät n	measuring device	appareil de mesure	strumento di misura	medidor; instrumento de medición
Metall verarbeitende Industrie	metal-working industry	industrie de transformation des métaux	industria metallurgica	industria metalúrgica

Deutsch	Englisch	Französisch	Italienisch	Spanisch
Metallwarenbranche f	metal goods sector	secteur des produits métallurgiques	industria di ferramenta	industria de objetos de metal
Minderlieferung f	short delivery	sous-livraison	fornitura minore	suministro incompleto; envío de menos
Minderung f	abatement of the purchase price	diminution, réduction	riduzione del prezzo	disminución del precio de compra
Mitteilung f	message, communication; announcement, notification	information, message, communication	comunicazione	mensaje, comunicación
~sblatt n	information bulletin	bulletin d'information	bollettino d'informazione	boletín informativo
Möbelfachgeschäft n	furniture shop	magasin de meubles spécialisé	negozio di mobili	tienda de muebles
Modem n	modem	modem	modem	módem
Momme (japanische Gewichtseinheit)	momme	momme	momme	momme
Montageroboter m	assembly robot	robot de montage	robot per il montaggio	robot de montaje
multimodaler Transport	multimodal transport	transports à modes multiples	trasporto multimodale	transporte multimodal; transporte combinado
Muster n	sample, pattern	échantillon	campione	muestra; patrón
mustergetreu	in conformity with the sample(s)	conforme à l'échantillon	conforme al campione	conforme a la muestra
Mustervertrag m	sample agreement	contrat type	contratto fac simile	contrato tipo, contrato muestra, contrato normativo
MwSt. s. Mehrwertsteuer				
N				
Nachbesserung f	elimination of defects, repair	retouche, amélioration	ritocco, riparazione	reparación, eliminación de defectos
Nachbestellung f	reorder, repeat order	seconde commande, commande ultérieure	ordinazione successiva	nueva orden; pedido posterior; repetición del pedido
Nachforschungen pl	enquiries, investigations	recherches, enquêtes	indagini, investigazioni	investigaciones
Nachfrage f	demand	demande	domanda	demanda

Deutsch	Englisch	Französisch	Italienisch	Spanisch
Nachfrist f	extension of time, additional period of time	délai supplémentaire, sursis	proroga del termine	prolongación del plazo; plazo prolongado
nachkommen, seinen Verpflichtungen ~	to meet one's obligations	s'acquitter de ses obligations / engagements	far fronte ai propri obblighi	cumplir sus compromisos, cumplir sus obligaciones
Nachnahme, gegen ~	cash on delivery (COD)	en contre-remboursement	pagamento in contrassegno	contra reembolso
Nachschußpflicht f	obligation to make additional capital contributions	obligation d'apport de capitaux supplémentaires	obbligo di fare versamenti supplementari	obligación de efectuar un pago adicional
Nähtechnik f	sewing technology	technique de couture	tecnologia di cucitura	tecnología del cosido
Nationalitätskennzeichen für Kraftfahrzeuge	nationality code for motor vehicles	plaque d'identification d'un pays	targa di nazionalità per autoveicoli	placa de nacionalidad para los vehículos de motor
Naturkosmetika pl	biocosmetics	cosmétiques à base de produits naturels	cosmetica naturale	biocosméticos, bioproductos de belleza
Nettogewicht n	net weight	poids net	peso netto	peso neto
Nichtkaufmann m, pl Nichtkaufleute	person not having merchant status under German law	non-commerçant, non-inscrit au registre du commerce	non commerciante	no comerciante (para el derecho mercantil alemán)
Niederlassung f	place of business; (local) branch or subsidiary	succursalle, agence	succursale	sucursal; establecimiento
Normalzubehör n	standard accessories	accessoires standards	accessori standard	accesorios estándar
O				
Oberbekleidung f	outerwear	vêtements	abbigliamento	ropa exterior
offene Handelsgesellschaft	a form of unincorporated enterprise in Germany (corresponds to the ordinary partnership)	société en nom collectif	società in nome collettivo	sociedad colectiva
offener Mangel	patent defect	le défaut visible	vizio apparente, difetto apparente	defecto evidente
ohne Verbindlichkeit (Angebot)	without engagement, subject to confirmation	offre sans engagement, à prix indicatifs	non vincolante, senza impegno	(oferta) sin compromiso, no vinculante

Deutsch	Englisch	Französisch	Italienisch	Spanisch
Order, an ~ lautend ~ eigene	made out to order to drawer's order	libellé à l'ordre ordre du tireur	emesso all'ordine a proprio ordine	extendido a la orden a orden del librador
Organ (eines Unternehmens)	organ, body	organe, institution	organo	órgano
Overhead-Projektor m	overhead projector	rétroprojecteur	proiettore overhead	proyector por hojas transparentes
P				
Packstück n	(shipping) package	paquet, colis	collo	bulto, envase, paquete
Palette f	pallet	palette	palet, paletta	paleta, plataforma
Passwort n	password	code (d'accès)	parola di accesso, password	contraseña, palabra de paso
Pedalumdrehungen pl	pedal RPM (revolutions per minute)	rotations des pédales	giri di pedale	revoluciones por minuto (rpm) del pedal
Personengesellschaft f	(trading) partnership	société de personnes	società di persone	sociedad personalista
Pflichtangaben auf Geschäftsbriefen	statutory information on letterheads	mentions devant figurer sur votre papier commercial	indicazioni obbligatorie su lettere commerciali	información estatutaria en cartas comerciales
Pflichtversäumnis f	failure to perform a duty or obligation	non-respect des obligations	mancanza al dovere	incumplimiento de una obligación
platzen (Geschäft)	to fall through	ne pas réussir, ne pas aboutir, échouer	andare a monte	irse a pique (un negocio)
Police f (Vers.)	policy	police d'assurance	polizza	póliza
Polstermöbelindustrie f	makers of upholstered furniture	industrie de meubles rembourrés	industria di mobili imbottiti	productores de muebles tapizados
Polymerbetonrohr n	polymer concrete pipe	tuyau en béton polymère	tubo in calcestruzzo di polimero	tubo de hormigón polímero
Porto n	postage	port	affrancatura	franqueo, porte
Position f (einer Bestellung, Rechnung)	item	position, poste	posizione, voce	partida, posición
Post, mit getrennter (od. mit gleicher) ~	under separate cover	par courrier / pli séparé	in plico separato	por correo separado
~fach n	post-office box	boîte / case postale	casella postale	apartado (de correo), casilla (postal)
~gut, als ~	by parcel post	par colis postal	per pacco postale	como paquete postal
~leitzahl f	postcode, ZIP code	code postal	codice di avviamento postale (CAP)	código postal
~paket, als ~	by parcel post	par colis postal	per pacco postale	como paquete postal

Deutsch	Englisch	Französisch	Italienisch	Spanisch
postlagernd	poste restante	poste restante	fermo posta	lista de correos
Preis pro Einheit	price per unit, unit price	prix à l'unité	prezzo per unità	precio por unidad
~änderungen vorbehalten	prices are subject to change without notice	sous réserve de toutes modifications de prix	salvo variazioni di prezzo	los precios están sujetos a modificación sin preaviso
~liste f	price list	tarif, liste de prix	listino prezzi	lista de precios
~nachlass m	price reduction	remise, ristourne, rabais	riduzione del prezzo	descuento; bonificación; rebaja
privatrechtliche Vereinigung	private-law association	association de droit privé	associazione di diritto privato	asociación jurídico-privada, asociación de derecho privado
Probeauftrag m	trial order	commande d'essai	ordine a titolo di prova	pedido de prueba
Produktinformationen pl	product information	informations sur le produit	informazione sui prodotti	información sobre el producto
Proforma-Rechnung f	pro-forma invoice	facture fictive / proforma	fattura proforma	factura proforma
Projektionsmeßgerät n	measuring projector	appareil de mesure par projection	strumento di misura a proiezione	medidor por proyección
Prokura f	authority to act on behalf of principal (wider in scope than Handlungsvollmacht)	procuration	procura (è più ampia della Handlungsvollmacht)	poder (para actuar en nombre del poderdante; es más amplio que el Handlungsvollmacht)
Prokurist m	person holding Prokura	fondé de pouvoir, personne investie d'une procuration commerciale générale	procuratore	empleado investido de poderes
prolongieren	to prolong, to extend	prolonger, proroger	prolungare, prorogare	prolongar; prorrogar
Prospektmaterial n	(sales) literature	prospectus, documentation publicitaire	prospetti, dépliant	material de publicidad
Provision f	commission	commission	provvigione	comisión
~sbasis, auf ~	on a commission basis	à la commission	a provvigione	a base de comisión
Prozeßzeit f	processing time	durée d'une procédure	durata della procedura	tiempo del proceso
prüfen	to examine, to check	vérifier, contrôler	verificare, controllare	examinar, verificar

Deutsch	Englisch	Französisch	Italienisch	Spanisch
R				
Prüfungs- und Rüge- pflicht *f*	duty to examine the goods and to give notice if they do not conform to the contract	obligation faite à l'acheteur de contrôler la marchandise dès réception et de signaler les défauts immédiatement	obbligo di controllare la merce e di ricorrere in garanzia per i vizi	obligación de examinar y de indicar que no se está de acuerdo con el contrato
Prüfungsprotokoll *n*	test chart	rapport de contrôle	verbale di controllo	informe sobre la revisión; acta de examen
Pulsrate *f*	pulse rate	pulsation cardiaque	frequenza della pulsazione	frecuencia del pulso
Rabatt *m*	discount	rabais, remise, réduction	ribasso	descuento, rebaja, bonificación
Rate *f*	instalment	tempérament, terme	rata	plazo
Rechnernetz *n*	computer network	réseau ordinateur	rete di calcolatori	red de ordenadores, red informática
Rechnung *f* auf Ihre ~ und Gefahr für eigene ~ für ~ von in ~ stellen	bill, invoice; account at your risk and expense for one's own account for the account of to bill, to charge	facture à vos risques et périls pour son propre compte pour le compte de facturer	fattura per Vs. conto e rischio per conto proprio per conto di fatturare, mettere in conto	cuenta; factura por su cuenta y riesgo por cuenta propia a cuenta de poner en cuenta, cargar en cuenta; facturar
~sbetrag *m*	invoice amount	montant de la facture	importo della fattura	importe de la factura
~sdatum *n*	invoice date	date de facture	data della fattura	fecha de la factura
~serhalt *m*	receipt of invoice	date de réception de la facture	ricevimento della fattura	recibo de la factura
~sstellung *f*	preparation of an invoice	facturation	fatturazione	facturación; preparación de la factura
Rechte geltend machen	to exercise rights	faire valoir un droit	far valere dei diritti	hacer valer derechos
Rechtsanwalt *m*	lawyer, solicitor, attorney	avocat, avoué	avvocato	abogado, letrado
Rechtsformzusatz *m*	addition indicating a business enterprise's legal form	additif concernant la forme juridique d'une entreprise	aggiunta inerente la forma legale di un'impresa	adición para indicar la forma jurídica de una empresa mercantil
Rechtsstreit *m*	legal dispute	litige	causa, vertenza giuridica	disputa legal; litigio
Reederei *f*	shipping company	compagnie d'armement	compagnia armatoriale	compañía naviera
Referenz *f*	reference	référence	referenza	referencia

Deutsch	Englisch	Französisch	Italienisch	Spanisch
Regal n	shelf	étagère, rayonnage	scaffale	estantería, estante
Regelungen pl	regulations, rules, provisions	règlementations, accords	regolamenti, regolamentazioni	regulaciones, reglamentaciones
Registergericht n	registry court	juridiction	ufficio del registro delle imprese	tribunal de registro
reines Konnossement	clean bill of lading	connaissement net	polizza di carico pulita	conocimiento de embarque sin restricciones, conocimiento de embarque sin objeciones
Reisender	commercial traveller, travelling salesman	voyageur de commerce, représentant de commerce	commesso viaggiatore	viajante (de comercio)
Reklamation f	complaint	réclamation, plainte	reclamo	reclamación, protesta, objeción
Reling f (eines Schiffes)	(ship's) rail	bastingage	parapetto	borda
Remittent m	payee	bénéficiaire d'une traite	beneficiario	remitente; tenedor
Reparaturabteilung f	repair department	service des réparations	reparto riparazioni	sección de reparaciones
Restbetrag m	balance, remainder	solde	importo restante, importo residuo	importe restante, importe residual; saldo
Richtlinien pl	guidelines	directives	direttive, linee direttive	directrices, pautas
Rohgewinnspanne f	gross margin	marge bénéficiaire brute	margine dell'utile lordo	margen de beneficio bruto
Rohstoffpreise pl	raw material prices; commodity prices	prix des matières premières	prezzi delle materie prime	precios de las materias primas
Rückerstattung des Kaufpreises	refund of the purchase price	remboursement du prix d'achat	rimborso del prezzo d'acquisto	devolución del precio de compra
Rückfrage f	query	demande d'informations complémentaires	richiesta di ulteriori informazioni	duda (respecto a lo tratado)
Rückgabe der Ware	return of the goods	restitution de la marchandise	restituzione della merce	devolución de la mercancía
Rücknahme f	taking back; revocation, withdrawal	reprise	ritiro, revoca	retirada; revocación

Deutsch	Englisch	Französisch	Italienisch	Spanisch
Rücknahmeerklärung f	withdrawal notice	déclaration de reprise de la marchandise	dichiarazione di revoca	declaración de revocación, declaración de retirada
Rückstände pl	outstanding deliveries; outstanding payments, arrears	arriérés, retards	forniture o pagamenti arretrati	atrasos (en el suministro o en el pago)
rückständig (Lieferung, Zahlung)	in arrears, outstanding	en retard, impayé	arretrato	(suministros o pagos) atrasados
Ruf m	reputation	réputation	reputazione	reputación; renombre
rügen, Mängel ~	to give notice of defects	envoyer une réclamation	denunciare i vizi	reclamar por vicios
S				
Sachbearbeiter m	clerk or official (with power to sign)	employé spécialisé	impiegato di concetto	empleado (del escalafón bajo) autorizado a firmar; encargado de dossier
Sack m	bag, sack	sac	sacco	saco, bolsa
Saldo m, pl Salden	balance	solde	saldo	saldo
Satz, voller ~ reiner Bordkonnossemente	full set of clean on board bills of lading	liasse complète du connaissement net	giro completo di polizze di carico «a bordo» pulite	juego de conocimientos de embarque en blanco
säumiger Schuldner	defaulting debtor, delinquent debtor	débiteur négligent	debitore moroso	deudor moroso
S-Bahn-Wagen m	suburban train car	wagon de R.E.R	carrozza della suburbana	vagón de suburbano
Schadenersatz m	damages	dommages et intérêts	risarcimento danni	indemnización
Schadensmeldung einreichen	to report a loss, to file a claim	faire une déclaration de sinistre	inoltrare la denuncia di danno	avisar un daño; comunicar un siniestro
Schaltung f	(electrical) switch	interrupteur	collegamento, interruttore	conmutación, conexión
Schaumstoff-Formteil n	foam plastic moulding	moules de rembourrage en mousse	pezzo stampato in materiale espanso	pieza matrizada de material esponjoso
Scheck m	cheque, check	chèque	assegno	cheque
Schiedsgericht n	court of arbitration	tribunal d'arbitrage	collegio arbitrale	tribunal arbitral
Schiedsklausel f	arbitation clause	clause d'arbitrage	clausola arbitrale	cláusula de arbitraje
Schiedsrichter m	arbitrator	juge-arbitre	arbitro	(juez) árbitro

Deutsch	Englisch	Französisch	Italienisch	Spanisch
Schiedsspruch m	arbitral award	sentence arbitrale	lodo	laudo (arbitral)
Schiedsverfahren n	arbitation procedure, arbitration proceedings	procédure d'arbitrage	procedimento arbitrale	procedimiento arbitral
Schiffsreling f	ship's rail	le bastingage	parapetto di un'imbarcazione	borda
schleppend	slow, sluggish, dilatory	pas fort, lentement	stentato, lento	desanimado, flojo, lento
schließen	to close, to shut down, to conclude	fermer, terminer, conclure	chiudere, concludere, stipulare	cerrar, concluir
Schlussformel f	complimentary close	formule de politesse	formula di chiusura	fórmula final, fórmula de cortesía
Schreibkraft f	typist	dactylographe	dattilografa	mecanógrafo
Schreibstil f	style, mode of expression	style, façon d'écrire	stile, stile di scrittura	estilo, modo de expresión
Schuldner m	debtor	débiteur	debitore	deudor
Schuldrecht n	law of obligations	droit des obligations	diritto delle obbligazioni	derecho de obligaciones
Schweißmaterialien / Schweißtechnik	welding materials / welding systems	matériaux de soudure / technique de soudure	materiale di saldatura / tecnica della saldatura	materiales de soldadura / técnica de soldadura
Seefracht f	ocean freight	fret maritime	nolo marittimo	flete marítimo
seemäßige Verpackung	seaworthy packing	emballage adapté aux transports maritimes	imballaggio marittimo	embalaje marítimo
Seeschifffahrt f	ocean shipping	navigation maritime	navigazione marittima	navegación marítima
Seetransport m	ocean transport	transports maritimes	transporto marittimo	transporte marítimo
Sendung f	consignment, shipment	expédition, envoi	spedizione	envío, expedición
Serienbrief m	serial letter	lettre de série	lettera di serie	carta en serie; circular
Sicherheitsvorschriften pl	safety regulations	consignes de sécurité	norme di sicurezza	disposiciones de protección; disposiciones de seguridad
Sicht, bei ~	at sight, on demand	à vue	a vista	a la vista
~tratte f	sight draft	traite à vue	tratta a vista	letra (cambial) a la vista
~wechsel m	sight bill	lettre de change à vue	cambiale a vista	efecto a la vista
Sitz m (eines Unternehmens)	legal domicile, registered office, principal place of business	siège social	sede legale	sede (de una empresa), domicilio social

Deutsch	Englisch	Französisch	Italienisch	Spanisch
Skonto m od. n	cash discount	escompte, remise au comptant	sconto (per pagamento in contanti)	descuento (para pago al contado)
Sonderausstellung f	special exhibit	foire spéciale	esposizione speciale	exhibición especial
Sortiment n	range of goods, merchandise range	assortiment, gamme de produits	assortimento	surtido; gama de mercancías
Spediteur m	forwarding agent, freight forwarder	commissionaire de transport	spedizioniere	agente de transportes
Speicherung f (EDV)	storage	mémorisation	memorizzazione	almacenamiento, memorización; conservación
Spracherkennungstechnik f	voice recognition technology	technique de reconnaissance vocale	tecnologia riconoscimento voce	técnica de reconocimiento de la voz
Spurweite f	(railway) gauge	écartement des voies	scartamento	ancho de vía
Stahlbandumreifung f	steel strapping	entouré d'un ruban d'acier	reggiatura a nastro d'acciaio	cinchado con fleje de acero
Stammeinlage f	capital contribution to GmbH	apport de fonds initial (d'une GmbH)	quota sociale (di una GmbH)	aportación al capital (de una GmbH)
Stammkapital n	nominal capital (of GmbH)	capital social (d'une GmbH)	capitale sociale (di una GmbH)	capital social (de una GmbH)
steuerfreie innergemeinschaftliche Lieferung	tax-free intra-Community delivery	livraison intercommunautaire exemptée de taxes	fornitura esentasse all'interno della Comunità	suministro intracomunitario exento de impuestos
stillschweigend	tacit(ly)	tacite	tacito, tacitamente	tácito; tácitamente
stornieren	to cancel	annuler	stornare	anular, cancelar
Stornierung f	cancellation	annulation	storno	anulación, cancelación
Störung s. Betriebsstörung				
Straßentransport m	transport by road	transport routier	trasporto su strada	transporte por carretera
streichen (Auftrag)	to cancel	annuler, résilier	stornare, cancellare	anular un pedido
Streik m	strike	grève	sciopero	huelga
Streitigkeit f	dispute	différend	controversia	disputa
Stück n (Stofflänge)	piece	pièce	pezzo, unità	pieza
stunden, den Restbetrag ~	to grant an extension for the balance	accorder un sursis pour le paiement du solde	concedere una dilazione per l'importo residuo	conceder una prórroga para el importe restante

Deutsch	Englisch	Französisch	Italienisch	Spanisch
Stundung f	extension of time for payment, deferment of payment	sursis de paiement des créances	moratoria di crediti	aplazamiento del pago
Suchmaschine f (EDV)	search tool	le moteur de recherches	motore di ricerca	buscador
Suppentasse f	soup bowl	tasse à soupe	tazza da brodo	taza de sopa
T				
Tariflöhne und -gehälter	collectively negotiated wages and salaries	salaires et appointements négociés par convention collective	salari e stipendi contrattuali	sueldos y salarios negociados en convenios colectivos
Tastatur f	keyboard	clavier	tastiera	teclado
Teilhafter m	limited partner	commanditaire	socio a responsabilità limitata	(socio) comanditario
Teilnehmerland n	participating country	le pays participant	paese partecipante	país participante
Teilsendung f	part delivery, part shipment	livraison partielle	consegna parziale	envío parcial
Telefaxgerät n	facsimile machine, fax machine	télécopieur	apparecchio telefax	aparato de telefax, (tele)fax
Termin m	appointment, date; (appointed) date	délai	termine	cita; fecha, día
~ einhalten	to meet the deadline	respecter un délai	rispettare il termine, attenersi al termine	terminar en la fecha prevista, cumplir un plazo
Textilfabrik f	textile mill	fabrique de textiles	fabbrica tessile	fábrica textil
Textverarbeitung f	word processing	traitement de textes	elaborazione testi	tratamiento de textos
Textverarbeitungssoftware f	word processing software	logiciel pour le traitement de textes	software (per) elaborazione testi	software para tratamiento de textos
Tochtergesellschaft f	subsidiary (company)	filiale, societé affiliée	società affiliata	filial, casa afiliada; sucursal
Trachtenanzug, bayerischer ~	Bavarian suit	costume folklorique bavarois	costume regionale bavarese	traje bávaro
Traditionspapier n	document of title	justificatif du titre de propriété	titolo di credito trasferibile	título de tradición
Transport m	transport, carriage, conveyance	transport, l'expédition	trasporto	transporte
auf dem ~	in transit	en cours de transport	durante il trasporto	en tránsito, durante el transporte, en camino

Deutsch	Englisch	Französisch	Italienisch	Spanisch
~art f	mode of transport	mode de transport	tipo di trasporto	clase, modo de transporte
~mittel n	means of conveyance	moyen de transport	mezzo di trasporto	medios de transporte
~schäden oder -verluste	damage or loss in transit	avarie ou la perte due au transport	danni o perdite dovuti al trasporto	daños o pérdidas durante el transporte
~versicherung f	transport insurance, marine insurance	assurance de transport	assicurazione trasporto	seguro de transporte
~zeit f	transit time	durée de transport	durata del trasporto	duración del transporte
Trassant m	drawer	tireur	traente	librador, girador
Trassat m	drawee	tiré	trattario	librado, girado
Tratte f	draft	traite	tratta	giro, libranza, letra
~nankündigung f	advice of bill drawn	avis d'émission d'une traite	avviso di tratta	aviso de libranza (de letra)
~navis n	advice of bill drawn	avis d'émission d'une traite	avviso di tratta	aviso de libranza (de letra)
Treuerabatt m	loyalty discount	remise de fidélité	abbuono di fedeltà	rebaja de fidelidad
Trommel f (Versand-behälter)	drum	bidon, barril	tamburo	tambor
U				
Übereinkommen n (mehrseitige internationale Vereinbarung)	convention	convention	convenzione	convención, acuerdo (multilateral)
übergeben	to hand over, to deliver, to present	remettre, délivrer	consegnare, rimettere	entregar, encomendar
einem Rechtsanwalt zum Einzug ~	to turn over to a solicitor for collection	confier le recouvrement à un avocat	rimettere all'avvocato per l'incasso	remitir al abogado para su cobro
überhäuft, mit Aufträgen ~	flooded with orders	être surchargé de commandes	stracolmo di ordini	sobrecargado de pedidos
übermitteln	to transmit	transmettre	trasmettere	transmitir
Übermittlung f	transmission	transmission	trasmissione	transmisión
Übernahme-konnossement n	received for shipment bill of lading	connaissement «reçu pour embarquement»	polizza ricevuta per l'imbarco	conocimiento para embarque
übertragen	to transfer, to transmit	céder, confier	concedere, trasferire	transferir, transmitir
jdm. eine Vertretung ~	to grant sb an agency, to entrust sb with an agency	céder la représentation à qn	concedere a qd. una rappresentanza	nombrar a alg. para llevar la representación

Deutsch	Englisch	Französisch	Italienisch	Spanisch
überweisen	to transfer, to remit	virer, transférer	rimettere	transferir, remitir
Überweisung f	(bank) transfer	virement	bonifico (bancario)	transferencia; giro
Übungsmaterial n	practice material	ouvrages d'exercices	materiale per esercizi	material de prácticas
umgehend	without delay, by return (of post)	par retour du courrier, sans délai	immediato, a stretto giro di posta	inmediatamente, sin demora; a vuelta de correo
Umsatz m	turnover (in terms of money), sales (revenue)	chiffre d'affaires	fatturato, giro d'affari	(cifra de) facturación; cifra de negocio, volumen de ventas
~steuer f	turnover tax	taxe sur le chiffre d'affaires	imposta sul fatturato	impuesto sobre la cifra de negocios
~steuer-Identifikationsnummer f	VAT registration number	numéro d'identification	numero di partita IVA	numero de identificación fiscal
umsetzen, in deutsches Recht ~	to translate (to implement) into German law	transposer dans le droit allemand	tradurre nel diritto tedesco	transponer, implementar al derecho alemán
Umstände außerhalb jds Einflußbereich	circumstances beyond sb's control	circonstances imprévisibles	circostanze al di fuori dell'influenza di qd.	circunstancias en las que no se tiene influencia
Umstrukturierung f	restructuring	restructuration, remaniement	ristrutturazione	reestructuración, reconversión
Umtausch m	exchange	échange	cambio	cambio
Umweltschutz m	environmental protection	protection de l'environnement	tutela dell'ambiente	protección ambiental; ecología; geohigiene
Umzug m	removal, relocation	déménagement	trasloco	traslado, mudanza
unberechtigte Beschwerde	unjustified (unfounded) complaint	réclamation injustifiée	reclamo ingiustificato	reclamación injustificada, queja sin fundamento
unbeschränkt haften	to have unlimited liability	porter la responsabilité sans limite	rispondere illimitatamente	responder ilimitadamente
unbestätigtes Akkreditiv	unconfirmed (letter of) credit	accréditif non confirmé	lettera di credito non confermata	crédito documentario no confirmado
ungezwungen	informal	informel, aisé (style)	informale	informal
unreines Konnossement	foul bill of lading	connaissement avec réserves	polizza di carico sporca	conocimiento irregular, defectuoso
Unstimmigkeit f	discrepancy, difference	désaccord	discrepanza, dissenso	discrepancia, diferencia
Unterhaltungselektronik f	entertainment electronics	électronique de grand public	materiale elettronico per il tempo libero	electrónica de entretenimiento

Deutsch	Englisch	Französisch	Italienisch	Spanisch
unterlaufen, es ist Ihnen ein Versehen ~	you have made an error	une erreur vous a échappé	ha avuto una svista	se le ha escapado una equivocación; ha cometido un error
Unternehmen *n*	(business) enterprise	entreprise, société, établissement	impresa	empresa; negocio
Unterschrift *f*	signature	signature	firma	firma
unterschriftsberechtigt	authorized to sign	être autorisé à signer	avere facoltà di firma	autorizado para firmar
Untertasse *f*	saucer	soucoupe	piattino	platillo
unverbindlich	not binding, without obligation; (*offer*) without engagement, subject to confirmation	sans engagement	senza impegno, non vincolante	sin compromiso; sujeto a confirmación
unverlangtes Angebot	unsolicited offer	offre spontanée	offerta non sollecitata	oferta no solicitada
unverzollt	duty unpaid	non dédouané	non sdoganato	sin pago de derechos; no pagados los derechos
unwesentlich	minor, immaterial	peu important, inessentiel	irrilevante, non essenziale	poco importante, insignificante
unwiderrufliches Akkreditiv	irrevocable (letter of) credit	accréditif / lettre de crédit irrévocable	lettera di credito irrevocabile	crédito documentario irrevocable
Ursprung *m*	origin	origine	origine	origen
~bezeichnung *f*	mark of origin	marque d'origine	denominazione d'origine	denominación de origen
~szeugnis *n*	certificate of origin	certificat d'origine	certificato d'origine	certificado de origen
Urteil *n*	judgment	jugement, verdict	giudizio; sentenza	sentencia
Ust-IdNr. s. Umsatz-steuer-Identifikations-nummer				
V				
Valuta *f*	currency; value or maturity date	devise(s); date de valeur	valuta; data di valuta	moneda, valuta; valor
valutieren	to set the value or maturity date	attribuer / fixer une date de valeur	fissare la valuta, fissare la data di valuta	asignar el valor, fijar el valor
verabschieden, ein Gesetz ~	to pass a bill	voter une loi	approvare una legge	aprobar una ley

Deutsch	Englisch	Französisch	Italienisch	Spanisch
veranlassen	to see that sth is done, to arrange	engager qn à faire qc	indurre a fare, ordinare	disponer que se haga algo; diponer que algo sea hecho
Verarbeitungsfehler m	faulty workmanship	défaut d'usinage ou de fabrication	difetto di lavorazione	error de trabajo, error en la elaboración
Verbindlichkeit f	obligation, liability; binding force	obligation, engagement	impegno; debito	obligación, carácter obligatorio
ohne ~	without any obligation; (offer) without engagement	sans obligation, sans engagement	senza impegno, non vincolante	sin ninguna obligación; (oferta) no vinculante
~en pl (Buchf.)	liabilities, creditors, accounts payable	dettes, obligation, exigibilités	debiti; creditori (bil.)	pasivo exigible, deudas
verbrieft	evidenced by a written document	garanti, prouvé par écrit	chirografario, garantito da un documento	certificado en documento escrito
verdorbene Ware	spoilt goods	marchandise avariée	merce deteriorata	bienes estropeados
Vereinbarung f	agreement, arrangement	accord	accordo	acuerdo
Verfall, bei ~	at maturity, when due	à échéance	alla scadenza	al vencimiento
Verfasser m (einer Mitteilung)	originator	auteur	autore, redattore	autor (de una noticia)
Verfrachter m	ocean carrier	fréteur, armateur	vettore marittimo	fletante marítimo
Verfügung, zur ~ stellen	to place at sb's disposal	mettre à disposition	mettere a disposizione	poner a disposición
Verhalten, das eine Zustimmung ausdrückt	conduct indicating assent	comportement consentant	comportamento consenziente	conducta que expresa asentimiento
Verkauf m	sale	vente	vendita	venta
~saussichten pl	sales prospects	perspectives de vente	prospettive di vendita	perspectivas de venta
~sbedingungen pl	terms of sale	conditions de vente	condizioni di vendita	condiciones de venta
~sbüro n	sales office	bureau de vente	ufficio vendite	oficina de venta(s)
~serlös m	sales proceeds, sales revenue	produit de la vente	ricavo dalle vendite	producto de la(s) venta(s)
~sgebiet n	sales territory	zone, territoire dans lequel on a le droit de vendre	territorio di vendita	zona de venta
~sleiter/in m/f	sales manager	chef de vente	direttore (direttrice) vendite	gerente de ventas; director / directora de ventas
~sorganisation f	marketing organization	organisation de la distribution	organizzazione vendite	organización de ventas

Deutsch	Englisch	Französisch	Italienisch	Spanisch
~spreis m	selling price	prix de vente	prezzo di vendita	precio de venta
~sstrategie f	sales strategy	stratégie de vente	strategia di vendita	estrategia de ventas
Verkehrsträger m	carrier	transporteur	vettore del traffico	transportista, empresa de transportes
verladen	to load, to ship	charger, embarquer	caricare, imbarcare	cargar; embarcar; expedir
Verladung f	shipment	chargement	caricamento, operazione di carico	carga
Verlagsprogramm n	(publisher's) book list	programme de publication	programma editoriale	programa de publicaciones (de la editorial)
Verlängerung f	prolongation, extension	prolongation, prorogation	proroga	prolongación, prórroga; extensión
verlangtes Angebot	solicited offer	offre sollicitée	offerta sollecitata	oferta solicitada
Verlust m	loss	perte	perdita	pérdida
Vermerk m	note, notation	remarque	nota	nota
vermitteln, Geschäfte ~	to negotiate business	servir d'intermédiaire, procurer des affaires à qn	procurare affari	agenciar negocio, proporcionar negocio, intermediar negocio
Vermögenslage f	financial situation, financial status	situation financière	situazione patrimoniale	situación financiera, status financiero
Vermögenswerte pl	assets	valeurs de capital	valori patrimoniali, beni patrimoniali	valores de capital; activos (patrimoniales)
Verpackung f	packing, packaging	emballage	imballaggio	embalaje, empaque
~ frei	packing free of charge	emballage gratuit	imballaggio gratuito	embalaje gratuito
~skosten pl	packing charges	frais d'emballage ou de conditionnement	spese d'imballaggio	gastos de embalaje
Verrechnungsscheck m	cheque intended to be credited to a bank account (similar to a British crossed cheque)	chèque barré	assegno sbarrato	cheque cruzado, cheque barrado; cheque de compensación
Versand m	despatch, delivery, shipment	expédition	spedizione	envío, despacho, expedición
~abteilung f	despatch department, shipping department	service d'expédition	reparto spedizioni	sección de expedición, departamento de despachos

Deutsch	**Englisch**	**Französisch**	**Italienisch**	**Spanisch**
~anzeige f	despatch advice, shipping advice	avis d'expédition	avviso di spedizione	aviso de expedición
~art f	mode of delivery	mode d'expédition	tipo di spedizione	modo de despacho
~dokument n	shipping document	document d'expédition	documento di spedizione	documento de envío
~kontrolle f	pre-shipment inspection	dernier contrôle avant l'expédition	controllo prima della spedizione	inspección antes del envío
~kosten pl	delivery charges, shipping charges	frais de transport	spese di spedizione	gastos de envío
versandbereit	ready for despatch	prêt à être expédié	pronto per la spedizione	listo para el despacho
Verschiffungshafen m	port of shipment	port d'embarquement	porto d'imbarco	puerto de embarque
verschlüsseln	to encrypt	coder	cifrare, codificare	codificar, criptografiar, encriptar, cifrar
Versehen n	error, oversight	faute, méprise	errore, svista	inadvertencia, error, omisión
versichern	to insure	assurer	assicurare	asegurar
Versicherung f	insurance	assurance	assicurazione	seguro
~sgesellschaft f	insurance company	compagnie d'assurance	compagnia di assicurazione	compañía aseguradora; compañía de seguros
~snehmer m	person effecting insurance, policyholder	personne contractant l'assurance	titolare della polizza	tomador del seguro; contratante del seguro
~spolice f	insurance policy	police d'assurance	polizza di assicurazione	póliza de seguro
~sprämie f	insurance premium	prime d'assurance	premio di assicurazione	prima de seguro
~sspesen f	insurance charges	frais d'assurance	spese di assicurazione	gastos de(l) seguro
~ssumme f	policy amount	montant de l'assurance	somma assicurata	suma asegurada
~szertifikat n	insurance certificate	certificat d'assurance	certificato di assicurazione	certificado de seguro
versteckter Mangel	hidden defect	vice caché	vizio occulto	vicio oculto
verstehen, die Preise ~ sich FOB deutscher Hafen	the prices are FOB German seaport	les prix s'entendent FOB port allemand	i prezzi s'intendono FOB porto tedesco	los precios se entienden FOB puerto alemán
verstümmeln (Mitteilungen)	to mutilate	altérer	mutilare	mutilar
Vertrag m	contract, agreement	contrat	contratto	contrato
~sabschluß m	conclusion of a contract	conclusion d'un contrat	stipulazione di un contratto	conclusión de un contrato

Deutsch	Englisch	Französisch	Italienisch	Spanisch
~sangebot n	offer to enter into a contract, proposal	offre contractuelle	offerta di contratto	oferta de adherirse a un contrato
~saufhebung f	avoidance (cancellation, annulment) of a contract	annulation d'un contrat	rescissione (risoluzione, soluzione) di un contratto	cancelación, anulación de un contrato
~sbedingungen pl	contract terms	conditions du contrat	condizioni contrattuali	condiciones del contrato; condiciones contractuales
~sbruch m	breach of contract	rupture, violation de contrat	inadempimento contrattuale, rottura di contratto	incumplimiento, quebrantamiento de un contrato
~sgestaltung f	setting the contract terms	conception des termes du contrat	determinazione delle condizioni contrattuali	disposición de las condiciones del contrato; configuración de los términos del contrato
~shändler m	authorized dealer	concessionnaire	concessionario	concesionario
~spartner m	party to a contract	contractant	parte contraente	parte contratante, parte del contrato
~srecht n	contract law	droit contractuel	diritto contrattuale	derecho contractual; derecho convencional
~sstaat m	contracting state	pays sous contrat	Stato contraente	Estado contratante, Estado signatario
~sverletzung f	breach of contract	non-respect d'une ou de plusieurs clauses du contrat	violazione del contratto	violación del contrato
vertraulich	confidential	confidentiel	con riservatezza	confidencial
vertreiben (Waren)	to distribute, to sell	distribuer	distribuire, vendere	distribuir, vender
Vertreter m	representative, agent	représentant, agent	rappresentante, agente	representante, agente
~vertrag m	agency agreement	contrat de représentation	contratto di rappresentanza	contrato de representación, contrato de agencia
Vertretung f	representation, agency; representative office	agence, représentation	rappresentanza, agenzia	representación, agencia
offizielle ~	diplomatic or consular mission	mission diplomatique ou consulaire	missione (rappresentanza) diplomatica o consolare	representación oficial

Deutsch	Englisch	Französisch	Italienisch	Spanisch
Vertrieb *m*	distribution, marketing; marketing department	distribution, vente	distribuzione	distribución, venta, comercialización
~snetz *n*	distribution network	le réseau de distribution	rete di distribuzione	red de distribución
Verwaltungsgebäude *n*	administration building; head-office building	bâtiment administratif	sede amministrativa	(edificio de la) administración
verweigern, die Annahme ~	to refuse acceptance	refuser la réception	rifiutare l'accettazione	rechazar la aceptación
Verzinkanlage *f*	galvanizing plant	installation de galvanisation	impianto di zincatura	planta de galvanizado
verzinsen, mit …% ~	to pay interest at a rate of …%	payer un intérêt de …%	pagare interessi del …%	devengar un interés del …%
Verzug *m*	failure to perform a contract, default	retard	mora	falta de cumplimiento de un contrato; mora
in ~ kommen	to default	être en retard, être en défaut d'exécution	cadere in mora	incurrir en mora
~szinsen *pl*	interest on arrears, interest for default	intérêts de retard, intérêts moratoires	interessi di mora	intereses de mora
Vollhafter *m*	general partner	associé responsable et solidaire	socio a responsabilità illimitata	socio colectivo
Vollmachtgeber *m*	person granting authority (principal)	mandant, donneur de procuration	mandante, rappresentato	poderdante, otorgante del poder
Vollmachtsverhältnis *n*	principal-agent relationship	répartition des pouvoirs entre plusieurs responsables	rapporto mandante – mandatario	relación de apoderamiento
vollstrecken, in Vermögenswerte ~	to attach assets by virtue of a judicial order	acquérir des biens suite à l'exécution d'un jugement	prendere possesso di beni patrimoniali in base ad un provvedimento giudiziario	ejecutar valores patrimoniales en virtud de una orden judicial
Vollstreckung eines Urteils	enforcement of a judgment	faire exécuter un jugement	esecuzione di una sentenza	ejecución de una sentencia
Vorauskasse *f*	cash in advance	paiement anticipé	pagamento anticipato	pago (por) anticipado
Vorausrechnung *f*	advance bill	facture provisoire	fattura anticipata	factura (enviada) por adelantado
Voraussetzung *f*	condition, prerequisite; requirement	condition	premessa, presupposto	condición previa
~en erfüllen	to fulfil conditions, to meet requirements	remplir les conditions	soddisfare le premesse	cumplir los requerimientos

195

Deutsch	Englisch	Französisch	Italienisch	Spanisch
Vorauszahlung f	payment in advance	paiement anticipé	pagamento anticipato	pago por anticipado
Vorbehalt m	reservation	réserve, restriction	riserva	reserva
vorbehalten, sich ein Recht ~	to reserve the right	se réserver un droit	riservarsi un diritto	reservarse el derecho
vorbehaltlich anderer Absprachen	unless otherwise agreed	sous réserve d'autres accords	salvo patti diversi	salvo que haya otros acuerdos
Vordruck m	printed form	formulaire, imprimé	modulo	impreso, formulario
Vorfaktur f s. Vorausrechnung				
vorformulierte Vertragsbedingungen	standard terms	clauses standards	condizioni contrattuali predisposte	condiciones y términos estándar
Vorgesetzter	boss, supervisor	chef, supérieur	superiore	superior, jefe
vorlegen	to present	présenter	presentare	presentar
vormerken, einen Auftrag ~	to enter an order	enregistrer une commande	prendere nota di un'ordine	anotar un pedido
Vorrat m	supplies, stock-in-trade, inventory	stock, réserves	scorte, riserve	existencias, inventario
solange ~ reicht	while stocks last, while supplies last	jusqu'à épuisement des stocks	sino ad esaurimento delle scorte	mientras queden existencias
vorsätzlich	wilfully and knowingly	avec intention	intenzionalmente	con premeditación
Vorschriften pl	regulations, (legal) requirements	prescription, règlement	regolamenti, norme	prescripciones, normas, reglamentos
Vorsitzender	chairman	président	presidente	presidente
Vorstand m	managing board	directoire, comité de direction	consiglio di amministrazione	junta directiva
W				
Wandlung f (Rückgängigmachung eines Vertrages)	rescission	rédhibition, annulation d'un contrat	redibizione	redhibición, rescisión
Warenverbindlichkeiten pl	trade creditors, trade accounts payable	dettes de marchandises à payer	debiti su merci	créditos comerciales
Wattleistung f	performance in watts	puissance en watts	potenza in Watt	potencia (medida) en vatios
Weberei f	weaving mill	tisserie	fabbrica di tessitura	tejeduría
Webstuhl m	loom	métier à tisser	telaio	telar
Wechsel m (Urkunde)	bill of exchange	lettre de change, traite	cambiale	letra de cambio

Deutsch	Englisch	Französisch	Italienisch	Spanisch
~nehmer m	payee	bénéficiaire d'une traite	beneficiario di una cambiale	tomador de la letra
weiterleiten	to pass on, to forward, to transmit	transmettre, faire suivre	inoltrare, trasmettere	transmitir; tramitar
Wellpappe f	corrugated cardboard	carton ondulé	cartone ondulato	cartón ondulado
Werbeagentur f	advertising agency	agence de publicité	agenzia pubblicitaria	agencia de publicidad
Werbeaktion f	publicity campaign	action publicitaire	campagna pubblicitaria	campaña publicitaria
Werbebrief m	sales letter	lettre publicitaire	lettera pubblicitaria	circular de publicidad, circular de propaganda
Werklieferungsvertrag m	contract for the supply of goods to be manufactured or produced	contrat de livraison de produits devant être manufacturés	contratto d'opera e di fornitura	contrato de obra con suministro
Werkstatt f	workshop	atelier	officina	taller
Werkzeugmaschine f	machine tool	machine-outil	macchina utensile	máquina herramienta
Wertpapier n	security	valeur, titre, effet	titolo	título, valor, título-valor
Wertpapiergeschäfte pl	security transactions	transactions de valeurs immobilières	operazioni in titoli	transacciones, operaciones de títulos
wesentliche Vertragsverletzung	fundamental breach of contract	non respect d'une clause fondamentale du contrat	violazione fondamentale del contratto	violación fundamental del contrato
Wettbewerb m	competition	concurrence	competizione	competencia
jdn zum ~ auffordern	to invite sb to compete for a contract	inviter qn à entrer en concurrence	invitare qd. a concorrere ad un appalto	invitar a alguien a concursar por un contrato
~sfähigkeit f	competitiveness	compétitivité	competitività	competitividad, capacidad de competir
Widerruf m	revocation, cancellation, withdrawal, countermand	révocation, rétractation, annulation	revoca	revocación, cancelación
widerrufen	to revoke, to cancel, to withdraw, to countermand	révoquer, annuler	revocare	revocar, cancelar
widerrufliches Akkreditiv	revocable (letter of) credit	lettre de crédit révocable	lettera di credito revocabile	crédito documentario

Deutsch	Englisch	Französisch	Italienisch	Spanisch
widersprechen	to contradict; to object; to be inconsistent (with)	démentir, objecter, contredire	contraddire; non essere conforme a	contradecir, objetar; ser incompatible
wilder Streik m	unauthorized strike, wildcat strike	grève spontanée, non autorisée	sciopero selvaggio	huelga salvaje, huelga no autorizada, huelga espontánea
Wirtschaftsauskunftei f	credit information agency	cabinet de renseignements commerciaux	agenzia d'informazioni commerciali	agencia de informes sobre créditos
Wirtschaftsbeziehungen pl	economic relations, trade relations	relations commerciales	rapporti economici	relaciones comerciales, relaciones económicas
Wollstoff m	woollen material	étoffes en laine	stoffa di lana	tejido de lana
Wunschtermin m	desired date	délai souhaité, désiré	termine desiderato, data desiderata	fecha deseada
Z				
zahlbar stellen (Wechsel)	to make payable at a bank	domicilier une lettre de change	domiciliare	domiciliar (el pago de la letra) en un banco
Zahlung f	payment, settlement; remittance	paiement	pagamento	pago, abono
~sanzeige f	remittance advice	avis de paiement	avviso di pagamento	notificación de pago
~saufforderung f	request for payment	sommation de paiement	richiesta di pagamento	requerimiento de pago
~saufschub m	extension, postponement	sursis de paiement	dilazione di pagamento	moratoria; prórroga del pago
~savis n	remittance advice	avis de paiement	avviso di pagamento	aviso de pago
~sbedingungen pl	terms of payment	conditions de paiement	condizioni di pagamento	condiciones de pago
~serinnerung f	reminder	rappel de paiement	lettera di sollecitazione	recordatorio (de pago)
~sfähigkeit f	ability to pay, solvency	solvabilité	solvibilità	solvencia
~sregelung f	settlement of payment	accord de paiement	regolamento dei pagamenti	regulación del pago
~sstörungen pl	problems relating to payment	problèmes de paiement	problemi inerenti il pagamento	problemas relacionados con el pago
~sverpflichtung f	payment obligation	obligations de paiement	obbligo di pagamento	obligación de pago
~sverzug m	failure to meet financial obligations, default in payment	défaut de paiement	morosità	incumplimiento del pago
~sweise f	manner of payment	modalités de paiement	modalità di pagamento	modo de pago

Deutsch	Englisch	Französisch	Italienisch	Spanisch
ziehen, einen Wechsel per 60 Tage Sicht ~	to draw a bill at 60 days sight	tiré une traite à 60 jours de vue	spiccare una tratta a 60 giorni	girar una letra a 60 días vista
Ziel, 30 Tage ~	30 days credit	paiement à 30 jours	termine di 30 giorni	a 30 días plazo
Zinsen pl	interest	intérêt	interessi	interés
Zoll m	customs; customs duty	droits de douane	dogana; dazio doganale	derechos de aduana
~abfertigung f	customs clearance	passage en douane, dédouanement	sdoganamento	despacho aduanero, trámites aduaneros
~behörde f	customs authority	douane	autorità doganale	autoridades aduaneras, administración de aduanas
Zuchtperle f	cultured pearl	perle de culture	perla coltivata	perla cultivada
zugesagte Eigenschaft	warranted quality	qualité garantie	proprietà garantita	calidad garantizada
zugunsten	in favour (of)	en faveur de	a favore di	a favor de
Zulieferer m	(parts) supplier	sous-traitant	fornitore	abastecedor, proveedor
zurücknehmen, ein Angebot ~	to withdraw an offer	retirer une offre	ritirare un'offerta	retirar, revocar una oferta
zurücktreten, vom Vertrag ~	to rescind a contract	résilier un contrat	recedere dal contratto	rescindir un contrato
Zusagetermin m	promised date	date promise	termine promesso, data promessa	fecha prometida
Zusatzbestellung f	supplementary order	commande supplémentaire	ordinazione supplementare	pedido complementario; orden adicional
Zwischenverkauf vorbehalten	subject to being unsold, subject to prior sale	sauf vente (entre la date d'offre et la date de commande)	salvo il venduto	salvo venta

199